JN270743

江原啓之神紀行

Spiritual Sanctuary

1

伊勢・熊野・奈良

マガジンハウス

「聖地《サンクチュアリ》」とは、人を癒してくれる「たましいのサプリメント」です。

何かの壁に突き当たったり、叶えたい願いができたとき。
人は誰でも特別な何かにすがりたくなるものです。
たちどころにすべてをよくしてくれる、神秘的な何か……。
神社をはじめとする聖地が、
多くの人を惹きつけてやまないのも、
奇跡を期待させる力を秘めているからではないでしょうか。
しかし、聖地とは、何でも願いを叶えてくれるような
都合のいい場所ではありません。

聖地とは、神霊の気配の漂う神聖なもの。
今回、ぼくが幾度となく旅をしたなかから、
そんな日本の聖地をご紹介しましょう。
この一冊とともに、聖地に触れていただき
「たましいのサプリメント」として
心身を癒すための助けにしてください。

江原啓之

目次

伊勢編 6

皇大神宮（内宮） 別格にして特別な神社 8
豊受大神宮（外宮） 今だからこそ、お参りしたいお宮 14
月讀宮 特に強いパワーを感じられる 16
猿田彦神社 未来を予知し、道を切り開くご神徳 18
おすすめ立ち寄りスポット 伊勢 20
志摩観光ホテル／料理旅館 新和具荘／ホテル 槇之木／五十鈴茶屋／すし久
伊勢アクセスマップ 23

熊野編 24

熊野本宮大社 熊野信仰の総本宮として崇敬 26
熊野那智大社 流れ落ちる滝の輝きは神の姿 32
熊野速玉大社 神倉山の巨石は神が降りた証!? 38
おすすめ立ち寄りスポット 熊野 42
旅館 あづまや／わたらせ温泉 ホテルささゆり／花や木の宿 伊せや
熊野アクセスマップ 45

奈良編

大神神社　46
石上神宮　気高さと優しさを併せ持ったご神徳　48
天河大辨財天社　古代信仰の中で異彩を放つパワースポット　54
参拝客の途絶えない人気の神社のひとつ　56
おすすめ立ち寄りスポット 奈良　60
奈良ホテル／日本料理 萩王／そば切り百夜月／飛鳥藍染織館／池利三輪素麺茶屋 千寿亭／森正／橿原ロイヤルホテル
奈良アクセスマップ　65
江原啓之旅日記 1　「不思議」編　66
旅をパワーアップさせる10の法則　68
たましいに響くお参りの方法、特別に教えます　80
お参りの前に／手水の使い方／そして、お参りです／よりパワーを頂くために
ミニ知識　90

本書は、「ハナコ・ウエスト」二〇〇三年四月号～二〇〇四年二月号に連載された作品を加筆修正したものです。

伊勢編

伊勢の地は、すべての日本人にとって、とても大切な場所。この地を訪れずして、聖地巡礼の旅をしたとはいえないでしょう。

日本では、古くから盛んに「お伊勢参り」が行われていました。一生に一度、伊勢を旅して、伊勢神宮にお参りすることが、人々の夢だったのです。伊勢神宮はそれほど崇敬を集めていたし、伊勢に対する憧れも強かったのでしょう。

現代でも、伊勢の存在価値は変わっていないと思います。普段は意識していないでしょうが、日本という国に住んでいる以上、私たちは誰でも伊勢神宮のお力に守られています。その伊勢神宮をいただく伊勢ですから、スピリチュアルなパワーが強いのは当然のこと。機会があれば、ぜひ一度、お伊勢参りに出かけるべきだと思います。

ぼくも、毎年のように伊勢を訪れています。無事に暮らしてこられたことに感謝し、さらなる導きをお願いするためです。何度訪れても、伊勢神宮の神々しさには心を打たれます。

伊勢神宮にお参りする場合、あまり自分本位なお願い事に終始しないように注意してください。私利私欲ではなく、「国を支える自分」を意識する……。こういうと、何だか古くさいと思われるかもしれませんが、意味が違います。この国に生かしていただいているという事実に感謝し、世の中のためになろうとする気持ちを持ってほしいのです。

日本の最高峰の神社といわれる伊勢神宮の、気高い神徳の前には、参拝者もそれにふさわしい心構えで、参拝することが必要なのではないでしょうか。

◉別格にして特別な神社。

皇大神宮（内宮）

こうたいじんぐう（ないくう）

尊い最高峰の神社だから、感謝の気持ちでお参りしましょう。

伊勢神宮は、皇大神宮（内宮）と豊受大神宮（外宮）という二つの正宮を中心に、十四か所の別宮と、百九か所の摂社・末社・所管社から成り立っている広大な神社です。なかでも、参詣の中心となるのは、やはり皇大神宮でしょう。

皇大神宮のご祭神は、日本神話の最高神ともいえるアマテラスオオミカミです。日本の神話では、イザナギノミコトが黄泉の国から戻り、禊祓で左目を清められたときに、アマテラスオオミカミがお生まれになったとされています。アマテラスオオミカミは、イザナギノミコトから天界の高天原（たかまがはら）の統治を任されます。ところが、弟神・スサノヲノミコトの乱暴に怒って、天岩戸に閉じこもったため、天上も下界も暗闇に包まれ、悪神が暴れ、災いが生まれてしまうのです。やがて、アマテラスオオミカミが天岩戸からお出ましになった瞬間、天地は再び光に満たされたのだとか。アマテラスオオミカミは、それほど尊い女神様であり、まさに天上天下を統べる太陽神です。日本の至高の神社である伊勢神宮のご祭神として、これほどふさわしい神様はおられないでしょう。

皇大神宮のご正殿は、唯一神明造（ゆいいつしんめいづくり）と呼ばれる日本最古の建築様式によって建

ご神殿の前で。張り巡らされた四重の垣によって、直視することは
できないが、広大な参道は常に多くの参拝者で賑わっている

伊勢神宮では、20年に一度の式年遷宮ですべての社殿を新しく建て直すため、正殿の隣に同じ広さの宮地が用意されている

てられたもので、創建は二千年前といわれています。伊勢神宮では、二十年に一度建て替えを行いながら、二千年前と変わらない神殿の姿を守り続けているのです。華美なところのない素朴なたたずまいでありながら、そこには思わず頭を下げずにはいられないような、圧倒的なご神気が満ちています。まさに日本の神社の中心に位置する神殿であり、神社信仰の原点だといっていいのではないでしょうか。

あまりにも尊い場所であるがゆえに、ご正殿は、正面から見ることを許されていません。参拝者は、四重に張り巡らされた垣の向こうから、見えないご正殿に向かって参拝するのです。もちろん、ご正殿の全容を拝見することができなくても、ご神気を吸収するのに不都合はありません。感覚を研ぎ澄ませれば、尊いエナジーを感じることができるでしょう。

皇大神宮の後方のやや小高い場所には、アマテラスオオミカミの荒御魂(あらみたま)を祀った荒祭宮があります。神道では、神様の御魂のおだやかな様子を「和御魂(にぎみたま)」といい、格別にご神威に溢れたご様子を「荒御魂」といいます。荒祭宮は、アマテ

皇大神宮の宮域は、5500ヘクタールという広大なもの。社殿を中心とした神域と、それを囲む宮域林からなり、太古のままの自然環境が厳しく守られている。神域の西側を流れる五十鈴川の別名は「御裳濯（みもすそ）川」。ヤマトヒメノミコトがすその汚れをすすがれたことから、名づけられたという伝説がある。第一別宮の荒祭宮は、ぜひとも参拝してほしい

ラスオオミカミの荒御魂をお祀りしているにふさわしい、力強いパワーを感じさせるお宮です。伊勢神宮でも、皇大神宮の第一別宮として尊ばれているところですから、正宮の参拝を終えたら、ぜひとも参拝してほしいと思います。

　皇大神宮の境内には、いたるところに樹齢を経た大木が立っています。特に、ご社殿を中心とした約九十三ヘクタールの神域は、創建以来まったく斧を入れたことのないという禁伐林であり、参道に立ち並ぶ鉾杉は、太古の雰囲気を今に残す威容を見せています。ご神木という言葉があるように、木には自然のエナジーが強く宿っているものです。まして、二千年前から伊勢神宮に立っている木々ですから、そのご神気は絶大だといえるでしょう。

　ぼくは、ご神気を感じる木に巡り合ったときには、直接自分の手で触れて、そのパワーを取り込むようにしています。もっともパワーの強い木はどれなのか……などと、考える必要はありません。参道を歩いていて、何となく気持ちを惹かれるような木があれば、それでいいのです。周囲にあまり人目がないようなら、

手で触れるだけでなく、しばらく全身で抱きついてみてもいいと思います。

伊勢神宮は日本の神社の最高峰に位置するお宮として、昔から数多くの参拝者を集めています。初詣のときなどは、広大な参道が人で埋め尽くされ、歩くのも困難なほどです。それだけ人の気配にさらされ続けると、どうしてもご神気が薄れてしまうものですが、伊勢神宮の場合は、まったくその尊さが損なわれていません。広大な境内は、常に清々しい空気に満たされ、スピリチュアルなパワーをたたえているのです。

スピリチュアル・サンクチュアリと呼ばれる場所の多くは、都会から遠く離れ、人が容易に立ち入れないようなところにあります。そうでなくては、なかなかご神気を保てないからです。そんななかで、いまだに聖域であり続ける伊勢神宮が、いかにパワーが強く、素晴らしい神社なのか、ぼくはお参りするたびに感慨を新たにしています。スピリチュアル・サンクチュアリに興味を持つのなら、やはり一度は伊勢神宮に参拝するべきではないでしょうか。

伊勢神宮 ●いせじんぐう

正式には「神宮」といい、皇大神宮（内宮）と豊受大神宮（外宮）の両正宮を中心とし、14の別宮、109の摂社・末社の総称です。広大な宮域は5500ヘクタールにも及びます。☎0596-24-1111

皇大神宮（内宮） ●こうたいじんぐう（ないくう）

皇大神宮は、皇祖でもあるアマテラスオオミカミをお祀りしています。具体的なご利益を願うのではなく、日本に生きるものの一人として感謝を捧げてください。●三重県伊勢市宇治館町1

参道のご神木から、その神々しいパワーを吸収する。直接手を触れ、自分の体でご神気に接するのが、ぼくの流儀

◉今だからこそ、お参りしたいお宮。

豊受大神宮（外宮）

とようけだいじんぐう（げくう）

日本経済の再生をお願いすることのできる大切な神様。

豊受大神宮は、トヨウケノオオミカミをお祀りするお宮で、内宮に対して外宮と呼ばれています。約千五百年前、ときの雄略天皇が、夢のなかでアマテラスオオミカミのお告げを受け、丹波の国からトヨウケノオオミカミをお迎えして、内宮にほど近い場所にお祀りしたといわれています。

トヨウケノオオミカミは、アマテラスオオミカミの御饌（みけつ）、つまり神々に差し上げる召し上がりものを守護する御饌都神（みけつかみ）です。このことから、私たちの生活を支える産業のいっさいを守ってくださる、産業の神様として崇敬されています。今のような不況の時代には、なおさら豊受大神宮の存在意義が高まっているといっていいのではないでしょうか。

内宮である皇大神宮と外宮である豊受大神宮は、密接な関係にあるお宮ですので、ぜひ一緒にお参りしていただきたいと思います。御饌都神という性格上、まず外宮に参拝、それから内宮に進む方がいいでしょう。

豊受大神宮は、伊勢神宮のご正宮と呼ぶにふさわしいだけの、広大なご神域を備えたお宮ですが、あまり華美な雰囲気はありません。むしろ、重厚で素朴なあり様に、いっそうの格式を感じさせられます。日本経済の再生を、心静かにお願いしてみてはどうでしょう。

皇大神宮と並んで正宮と呼ばれるように、社殿は同じ唯一神明造で建立されており、規模もほぼ同じである。四重の垣に囲まれているのも、やはり皇大神宮と同様。茅葺き屋根の素朴な建築様式でありながら、堂々とした風格に溢れている。トヨウケノオオミカミの荒御魂を祀った「多賀宮」も、忘れずに参拝したいパワースポット。ゆっくりと時間をかけて、境内の清々しいご神気に触れておきたい

豊受大神宮(外宮) ●とようけだいじんぐう(げくう)

アマテラスオオミカミがお召し上がりになる食べ物を守護するトヨウケノオオミカミをお祀りするお宮。トヨウケノオオミカミは私たちの暮らしを支える産業の守り神でもあります。●三重県伊勢市豊川町279 ☎0596-24-1111

◉特に強いパワーを感じられる。

月讀宮《つきよみのみや》

スピリチュアルな力を強く宿している、神秘的な神社です。

皇大神宮から一・八キロメートル、豊受大神宮から三・八キロメートルの場所にある月讀宮は、伊勢神宮の別宮のなかでも、特に重要なお宮だといっていいでしょう。ご祭神はツキヨミノミコト、あるいはツキ(ク)ヨミノカミと呼ばれ、日本の神話では、イザナギノミコトが禊祓をしたとき、その右目から生まれたとされている神様です。左目から生まれたアマテラスオオミカミ、鼻から生まれたスサノヲノミコトと合わせて、三貴神とされています。アマテラスオオミカミの弟神であるツキヨミノミコトは、その「光り輝いて美しいこと」では、アマテラスオオミカミに次ぐ存在だという説もあり、太陽神であるアマテラスオオミカミに対して、月神といわれています。

月が神秘的なパワーを持っているのは、広く知られているところです。当然、月神であるツキヨミノミコトを祀った月讀宮も、非常にスピリチュアルな雰囲気を持っています。広大な内宮に比べると、とても小さいお宮ですが、感じ取れるご神気は大変素晴らしいものです。光り輝いて美しい神様をご祭神にしているだけに、「美」に関する願い事を持った人や、スピリチュアルなインスピレーションを得たい人には、一度訪れていただきたいと思います。

月讀宮には、皇大神宮の別宮が四宮鎮座している。主宮は、ツキヨミノミコトを祀った月讀宮。次いで、ツキヨミノミコトの荒御魂を祀った月讀荒御魂宮と、イザナギノミコトを祀った伊佐奈岐宮、イザナミノミコトを祀った伊佐奈弥宮がある。参拝は、まず月讀宮をお参りしてから、月讀荒御魂宮へ。詳しい順路は、境内に記されている

月讀宮（別宮） ●つきよみのみや（べつぐう）

アマテラスオオミカミの弟神である、ツキヨミノミコトをお祀りする別宮で、パワーは抜群です。とてもスピリチュアルなお宮なので、何かインスピレーションを得たい人にはお勧めです。●三重県伊勢市中村町742-1 ☎ 0596-24-1111

◉未来を予知し、道を切り開くご神徳。

猿田彦神社《さるたひこじんじゃ》

自分の道を切り開く。そんな力を授けられる「道開き」の聖地です。

伊勢神宮にほど近い場所にある猿田彦神社は、サルタヒコノオオカミをご祭神とする神社。天孫・ニニギノミコトが天界より降臨されたとき、伊勢の国からお迎えに来たといわれている、「啓行(みちひらき)」の神様です。位置的にも、伊勢神宮の「露払い」ともいえる場所にあるので、ぼくは、いつも先にこちらをお参りしてから伊勢神宮に行くようにしています。

スピリチュアルな目で見ると、未来予知のご神徳を感じます。これから何かを始めようと考えている人や、人生の岐路に立っている人は、猿田彦神社を訪れることによって、力強く道を切り開いていくような力を、分け与えていただけるかもしれません。

また、境内にある佐瑠女神社(さるめじんじゃ)は、全国でも珍しいアメノウズメノミコトをお祀りした、神社です。アメノウズメノミコトは、アマテラスオオミカミが天岩戸に隠れてしまわれたとき、舞を舞って岩戸を開かせた女神で、芸能の始祖ともいわれている神様。このため、ごく小さなお社であるにもかかわらず、佐瑠女神社には、昔から芸能関係者の崇敬が集まっています。芸能関係の仕事がしたい人や、華やかな存在になりたい人が、お力添えをお願いするには、ぴったりのお宮だといえるでしょう。

サルタヒコノオオカミをお祀りしている神社は、全国にいくつもあるが、なかでもここは霊験のある神社のひとつ。右・方角を刻んだ八角の石柱「方位石」。左下・境内にある佐瑠女神社は、芸能関係者の間では有名な神社で、女優の参拝者が多いことで知られている

猿田彦神社 ●さるたひこじんじゃ

全国にいくつもあるサルタヒコノオオカミをお祀りしている神社の中でも、強い霊験のあるのがこちら。方角を刻んだ八角の石柱「方位石」があることでもわかるように、方位に関して全国でも有名な神社。●三重県伊勢市宇治浦田2-1-10　☎0596-22-2554

↑英虞湾の夕景　→¥13,000～のランチコースに付く鮑ステーキと伊勢海老クリームスープは2大看板メニュー

志摩観光ホテル

☎0120-23-1211

黒アワビのステーキと伊勢エビのスープをぜひ！

英虞湾の絶景を望むロケーションに立つ名門ホテルのお家芸は、伝統の鮑ステーキと伊勢エビのクリームスープ。地元でとれた最高の黒アワビだけを3時間ボイルし、絶妙なタイミングでおいしさを閉じ込め、焦がしバターや香草ソースで仕上げるアワビのステーキは舌の上でとろけそう。伊勢エビ（前日予約）、アワビの2大カレーも名物。グルメという言葉はこのホテルのためにある!?

●三重県志摩市阿児町賢島　料金／1泊2食付き¥17,000～、休前日は＋¥2,000　IN14：00／OUT11：00

2000坪の庭園に面した東館は常連客に人気。整備された庭を前にテラスで寛ぐ時間は最高！

料理旅館《りょうりりょかん》 新和具荘《しんわぐそう》

☎0599-85-0765

「あわびのフルコース」は1人前に7つ使用！

新鮮なアワビが豊富に揚がる和具で20年来の名物となっているのが、こちらの「あわびのフルコース」。あわびのお造り、あわび天ぷら、あわびサラダ、あわびしゃぶしゃぶ……と、アワビ尽くしが12品。あわびの肝煮は、驚くほど濃厚。塩で蒸し焼きした陶板焼きは、旨味と甘味が塩のミネラルと一緒に舌に広がる逸品。コースでは、和具が発祥の漁師料理、てこね寿司も登場。

●三重県志摩市志摩町和具1537-4　料金／1泊2食付き￥12,600～（夏期のあわびのフルコースは￥23,100～）　IN16：00／OUT10：00

←大ぶりのアワビを惜しげもなく使う贅沢さ。冬場は旬の伊勢エビをふるまってくれる。それも楽しみ！　→9月までとれるあわびのしゃぶしゃぶ

ホテル《ほてる》 槇之木《まきのき》

☎0599-72-4155

伊勢志摩の素材を和とフレンチの手法で。

英虞湾のブルーに白いテラスが映えるオーベルジュ。料亭経験も持つシェフが、伊勢志摩の素材の味を最大限に引き出すべく、フレンチの手法を取り入れた、上質な料理が楽しめる。例えばサザエはエスカルゴバター焼きに。スズキはポワレにしてバンブランソースで。品数もボリュームもしっかり満足のラインナップ。自然派ワインも多く、海を眺めながらゆっくり味わいたい。

●三重県志摩市大王町波切ともやま2235-13　料金／1泊2食付き￥10,500～（料理の内容により異なる）　IN15：00／OUT10：00

←旬のネタがおいしいお造り。3種のソースには甘辛い中華味も　→客室は6つ。ベッドを置いた洋室と和室が一つに。バスも各部屋に備えられ、落ち着ける空間

※データは2005年9月現在のものです

五十鈴茶屋《いすずちゃや》 ☎0596-22-2154

風格ある座敷に座って様々なお菓子を楽しむ。

伊勢土産として有名な『赤福』が、伊勢にちなんだ季節のお菓子を出している茶店。名物の赤福餅や節気菓子と、珍しいすすり茶をはじめ、山野に自生するお茶を使った煎茶、お抹茶、素朴な焼き芋ようかんなどがいただける。伊勢の商家を再現した、お座敷も情緒たっぷり。のんびり寛ぎながら、美しい五十鈴川の景観を楽しめる。

●三重県伊勢市宇治中之切町26 営9：00～16：45 無休 赤福餅や節気菓子と各種お茶セット¥600～

←江戸から明治にかけての代表的な建築物を再現した観光スポット「おかげ横丁」に隣接 →最高級の本わらび粉を使ったわらびもちも美味

すし久《すしきゅう》 ☎0596-27-0229

伊勢志摩の郷土料理「てこね寿し」の名店。

鰹の切り身を特製タレにつけ込み、酢めしの上に豪快にのせたのが、てこね寿し。

おはらい町通りにある『すし久』は、そのてこね寿しのほか、伊勢芋を使った麦とろろなど、伊勢路の田舎料理が味わえる老舗。建物の一部には、伊勢神宮から下賜された古材が使われており、伊勢参りの歴史が感じられる文化遺産ともいえる。

●三重県伊勢市宇治中之切町20 営11：00～19：30(毎月1日、末日、毎週火曜～17：00、4～9月は～18：00) 無休 てこね寿し¥998

毎月末日の夜には2階の座敷にて落語会が催される。毎月1日の午前5時前には、月替わりの朝粥を用意

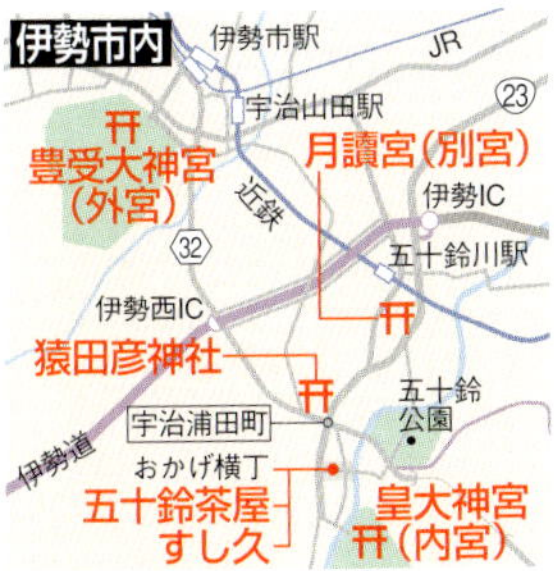

アクセス

電車／近鉄特急伊勢志摩ライナー利用。内宮へは、宇治山田駅下車、バスもしくはタクシー利用(15分)。月讀宮へは、五十鈴川駅下車、徒歩15分。外宮へは、伊勢市駅下車、徒歩5分。賢島へは賢島駅下車。和具へは賢島港から近鉄志摩観光汽船で和具へ(約25分)　車／西名阪道関JCT—伊勢道伊勢西IC下車が便利

※データは2005年9月現在のものです

熊野編

古くから独特の熊野信仰を育んできた、熊野。熊野三山を巡り歩けば、山々を守護する神霊が、そっと語りかけてくるかもしれません。

和歌山県東部から三重県南部にかかる一帯を、熊野地方といいます。この熊野は、日本の神社信仰の中でも、特別な意味をもつところ。「神仏習合」の聖地として、平安時代の後期から、熱心な信仰を集めていたのです。

現在では、神様は神社、仏様はお寺というように区別されていますが、実は明治になるまで、はっきりとした区別がされていないところもありました。自然な感性で、神仏を融合させているところもあったのです。このあたりは、宗教的なこだわりを持たず、八百万の神々のあり方を受け入れてきた、日本人の精神的な柔軟さの表れだといっていいでしょう。

日本全国に浄土信仰が広がってからは、熊野こそが阿弥陀如来や千手観音のいらっしゃる「浄土」とされ、多くの人々が熊野を詣でました。この世の浄土を垣間見て、さらに来世のご加護をお祈りするためです。そのにぎわいは、押し寄せる人々を蟻にたとえて、「蟻の熊野詣」といわれたほどでした。

熊野三山は、現代は比較的交通の便がよくなり、観光コースに組み込まれていたりしますが、ほとんどは深い山々に囲まれています。車や飛行機を利用しても、その往来はかなりの時間がかかります。まして、歩くしかなかった昔の人々には、大変な難所だったはず。それでも、参拝者が後を絶たなかったのは、熊野という土地の持つパワーに魅せられた人々が、それだけ多かったからでしょう。

◉熊野信仰の総本宮として崇敬。

熊野本宮大社《くまのほんぐうたいしゃ》

神仏習合の聖地・熊野。その総本山と仰がれる、熊野信仰の中心的な神社。

熊野では、本宮の熊野本宮大社、那智の滝で有名な熊野那智大社、新宮の熊野速玉大社の三社を合わせて、熊野三山と呼ばれています。このうち、熊野本宮大社は熊野三山の首座であり、熊野信仰の総本山と仰がれているお宮で、全国に三千以上ある熊野神社の総本宮として、厚い崇敬を集めているところです。

熊野本宮大社への道は、参道に沿うように熊野古道が続き、古の熊野詣を思い起こさせるような情景が残っています。これほど厳しい自然に囲まれているにもかかわらず、「蟻の熊野詣」といわれるほど、多くの参拝者が熊野に殺到していたことを考えると、改めて当時の人たちの浄土に対する憧れの強さと、熊野という土地の並外れたパワーを実感させられます。二〇〇四年に世界遺産に指定されたこともあって、最近は熊野古道の散策がブームになっています。実際に、熊野本宮大社までの古道を歩くとなると、大変な時間がかかりますが、可能な限り足を進めてみてもいいでしょう。

熊野古道の辻々で、ぼくは自然のエナジーが、小さな神さまの姿になって現れるのを目にしました。昔の息吹をそのまま残した古道を歩けば、当時の参拝者が身近に感じたであろう、神々の気配を体感できるのかもしれません。

音無川を見晴らす高台に位置し、周囲には照葉樹林の山々が連なる。
熊野本宮大社の境内は静謐な雰囲気

社殿に続く石段の両側には、「熊野大権現」と書かれた奉納の幟がはためく。一の鳥居から本殿に向かう石段は129段

熊野本宮大社のご祭神は、スサノヲノミコトの別名といわれるケツミミコノオオカミをはじめとする、神神です。古文書によると、ケツミミコノオオカミは、ヤマタノオロチを退治した後、ご自分の毛を抜いて種種の木に変え、それによって生じた山を熊野または木野と呼んだといわれています。さらに、熊野本宮大社は、古くから出世や家門繁栄のご神徳で知られていました。

日本サッカー協会のマークとして有名なヤタガラスは、熊野大神のお遣いだといわれているものです。熊野大神とは、「熊野におられる大いなる神」という意味で、ケツミミコノオオカミのことです。日本を統一した神武天皇を、ヤタガラスが、大和の橿原まで先導したという故事にちなみ、「ボールをゴールまで導くように」との願いを込めて、採用されたそうです。

熊野本宮大社を参拝したとき、鳥居をくぐった途端に、ぼくの目には小さなカラス天狗の姿がたくさん見えました。今にして思えば、あれはヤタガラスだったのかもしれません。

お宮から歩いて十分程度のところには、熊野本宮大

祓い串で身を清めてから、参拝へ。神門をくぐると、檜皮葺きの重厚な社殿が目に入る。向かって左から第一殿・第二殿の相殿(あいどの)、第三殿、第四殿の三棟が並んでいる。ご本殿に当たるのは、中央にある第三殿で、主神はケツミミコノオオカミ(スサノヲノミコト)。鋭いご神気で、ひときわ強いパワーが感じられる

社の旧社地だった場所があります。もともと大斎原（おおゆのはら）と呼ばれる、熊野川の中州に建立されていたお宮が、明治期の熊野川の大洪水によって流失し、現在の社地に移されたのです。

熊野本宮大社に限らず、神社のなかには、当初の場所から社殿を移動させているケースが少なくありません。何らかの理由で旧社殿が失われ、新しく社殿を建立しているからです。

いうまでもなく、社殿のあるところに神様が降臨されたわけではありません。ご神気を漂わせるパワースポットに感応した人々が、そこにお社を作って、信仰の場としたのです。したがって、旧社地のなかには、現在の境内よりも強いご神気を保っている場所もあります。参拝の際、旧社地の所在がわかっている場合は、できるだけ足を延ばすようにしてください。

この大斎原も、実際、ぼくが訪れたとき、やはり「神様がおわしたところ」だという気配を残していました。特に、鳥居の奥の林は清々しいパワースポットだと思います。思い切り深呼吸して、体のなかにご神気を吸収するのもいいのではないでしょうか。

交通の発達によって、熊野は昔のような難所ではなくなりました。その結果、気軽に熊野詣をする人も増えているようですが、熊野は興味本位で立ち入っていい場所ではありません。数え切れない参拝者の思いのこもった、神聖なスピリチュアル・サンクチュアリであり、厳しい修行の場として守られてきた、日本有数の霊場です。そのことを忘れずに、訪れてください。

右ページ・旧社地である大斎原には、今も巨大な鳥居が残されている。スピリチュアル・サンクチュアリとして、知る人ぞ知る場所であるため、熊野本宮大社の参拝者のなかには、大斎原に足を延ばす人も少なくない。左・鳥居の奥には、こんもりとした林があり、そこは特に ご神気が強い。気持ちのいい清浄な気配に満ちているので、胸いっぱいに吸い込んでみましょう

熊野本宮大社 ●くまのほんぐうたいしゃ

出世や家門繁栄の守護神として、広く崇敬を集めてきた神社。古くは、あの平清盛も参拝して、平家の繁栄を願ったといわれます。祭神はケツミミコノオオカミをはじめ12柱の神々。●和歌山県田辺市本宮町本宮1110　☎0735-42-0009

◉流れ落ちる滝の輝きは神の姿。

熊野那智大社《くまのなちたいしゃ》

熊野で修行を重ねた先駆者たちの霊魂が、今も熊野信仰を守る。

熊野那智大社の由緒書きによると、その由来は神武天皇の時代にさかのぼります。神武天皇が熊野灘から那智の海岸に上陸されたとき、那智の山に光が輝くのを見て、那智の滝の存在を知り、この大滝を神として祀ったというのです。神武天皇は、その守護を受け、ヤタガラスの先導によって、無事に大和国にお入りになったと伝えられています。

スピリチュアルな意味でいうと、水には浄化のパワーがあり、その水がよどむことなく流れ落ちる滝は、いっそう清らかな力に満ちています。まして、那智の滝ほど巨大な滝になると、まさに神と呼ぶにふさわしい存在だといっていいでしょう。

熊野の人々も、神武天皇がお祀りする以前から、那智の滝を神として崇めていたそうです。命の根源ともいえる水が豊かに流れ落ちる絶景に、自然に神のお姿を感じていたのでしょうか……。本当に神々しいものを目にしたとき、誰しも感じ取るところは同じなのかもしれません。

熊野那智大社の社殿は、滝からほど近い山上にあり、那智の滝を見晴らせます。ご社殿の建立は仁徳天皇の時代で、このときに那智の滝を「飛瀧大神」として別宮にし、新しい社殿には新たにイザナミノミコトの別

那智の滝の絶景に、白く光り輝く龍神の姿を見る。滝の霊気に魅了
され、しばしその場を動くことができない

熊野那智大社の境内には、朱塗りの社殿が立ち並ぶ。これは「熊野権現造」の原型を、そのままの形でとどめたもの

名といわれるフスミノカミをはじめとする、十二柱の神々をお祀りしています。

やがて、修験道が起こり、日本古来の神々と仏を合わせて祀るという、いわゆる神仏習合の信仰が誕生しました。厳しい自然に囲まれた熊野は、そうした修験者たちの神聖な修行の場になったのです。歴史に名高い役行者も、生駒と熊野の両山にこもり、修験道の開祖になったといわれています。そして、神仏の恵みを得ようとして、多くの人々が熊野へ、那智の滝へと足を運ぶようになりました。

熊野那智大社への参拝を終え、お滝祈祷所である飛瀧神社へ。その真のご神体ともいえる那智の滝を目前にしたとき、ぼくにはいろいろな神霊のお姿が見えました。まず、那智の滝そのものです。とうとうと流れ落ちる水流に龍神が宿り、まさに白く輝く浄化のご神気に溢れていました。さらに、那智の滝の周りには、修験者と思われる方々の霊魂が集まっておられました。熊野信仰は、役行者に代表される修験者によって広められ、隆盛を見たものだけに、修験者として天寿を全うした後も、彼らの霊魂が熊野の地を見守っているの

護摩木を奉納するなら、真剣に念を込めながら書く

境内で焚かれた護摩木の煙には、清めの効果がある

隣接する場所に、西国第一番札所、那智山青岸渡寺が

熊野那智大社では、ご神木の楠に護摩木を持って潜る

でしょう。

那智の滝は、日本でも有数の観光地であり、たくさんの観光客が訪れる場所です。スピリチュアル・サンクチュアリは、人間の気配が濃くなるにつれて、ご神気を失っていくものなので、観光地である那智の滝が、その価値を守れなくても不思議はありません。

ところが、実際には、見ているだけで心身を清められるほど、尊い神霊のパワーに満ちていたのです。これは、那智の滝が持っている素晴らしい浄化のエネルギーとともに、神霊のご加護が力を発揮しているからにちがいありません。

当然といえば当然なのですが、神社のご神体は、ほとんど人目にさらされることはありません。自然の山や木々がご神体であっても、人の立ち入ることを許されない禁足地になっている場合が少なくありません。その点、熊野那智大社では、ご神体である那智の滝を誰でも間近に見ることができるのですから、本当にありがたいことだと思います。

那智の滝を参拝したら、ぜひとも社務所右横から入る小道を歩いて、滝の間近まで行ってみてください。

熊野那智大社の別宮、飛瀧神社。うっそうとした小さな森を下っていくと、ご神体である滝が現れる。日本の三大火祭りのひとつに数えられる「那智の火祭り」は、熊野那智大社からこの飛瀧神社へ、年に一度神々が里帰りする様子を表したものだという

とうとうと流れ落ちる滝の威容に、神様の存在を感じられるのではないでしょうか。

また、滝の周囲を囲む林も、とても強い力を感じさせるパワースポット。特に、滝に向かう参道の一か所に、すさまじいパワーが集まっている場所がありました。そこが見つけられなくても、那智の滝全体が神々しいエナジーを発しているので、ゆっくりと時間をかけて歩いてみましょう。

熊野那智大社 ●くまのなちたいしゃ

由緒書きでは、熊野灘から上陸した神武天皇が、那智山に光が輝くのを見て滝を探り当て、神として祀ったのが由来とされています。命の根源ともいえる水が豊かに流れ落ちる那智の大滝の絶景に、滝そのものを参拝する人が後を絶ちません。●和歌山県東牟婁郡那智勝浦町那智山1　☎0735-55-0321

ここには社殿はなく、滝そのものがご神体

「お滝祈祷所」でもある、別宮の飛瀧神社

滝が一番間近で見られる奥へ。石段の続く道を行く

那智の滝のご神水「延命長寿の水」をいただく

両手を広げ、胸いっぱいに深呼吸して、霊気を取り込む

滝への道のこのポイントは、すさまじいパワースポット

◉神倉山の巨石は神が降りた証!?

熊野速玉大社《くまのはやたまたいしゃ》

神が降臨した証の巨石？太古の昔から続く神秘を強烈に実感させてくれる。

熊野三山のひとつである熊野速玉大社は、イザナギノミコトをご祭神とする、非常に格式の高い神社です。ご祭神は、イザナギノミコト・イザナミノミコトの夫婦神を主神とする十二柱の神々で、その由来は約二千年前の景行天皇の時代にさかのぼります。もともとは、現在の鎮座地から南へ一～二キロメートル行った千穂ヶ峰の神倉山に祀られていたものが、現在の鎮座地に移り、新宮と呼ばれるようになったのです。

一方、古宮の神倉山は、太古の昔に神々が降臨されたとされる霊山で、山頂の神倉神社（かみくらじんじゃ）までは、約五百段の石段を上っていかなくてはいけません。それも、整えられた石段ではなく、よじ登らなくてはならない段があるほどの難所です。正直なところ、下から神倉神社を仰ぎ見たときには、あまりの道行の厳しさに青くなったものでした。

ところが、実際に上り始めると、そんなことはまったく気にならなくなってしまいました。神倉神社の鳥居をくぐった瞬間、熊野を守っておられる修験者の神霊が、ぼくを呼んでおられる声がはっきりと聞こえたからです。その声に導かれるまま、普通では考えられないようなスピードで、一気に山頂まで上りきることができました。

熊野速玉大社の境内にて。お社の朱塗りが目にも鮮やかだ

神倉山の登り口に、神倉神社の鳥居が立つ。そこから社殿までは、見上げるような険しい石段が続いている

山頂の神倉神社には、目を奪われるような巨大な石が、鎮座していました。これほど険しい山頂に、昔の人の手によって、見上げるほどの巨石を運び込めるはずがありません。そして、ぼくの耳には「ここが熊野のもとである」という、役行者の声がはっきりと聞こえ、この地に立つために熊野を訪れたのだと実感したのです。これほど強い霊場は、なかなか存在するものではありません。その急坂に気後れするかもしれませんが、足を運ぶ価値はあるでしょう。

熊野速玉大社 ●くまのはやたまたいしゃ

熊野速玉大神、伊弉諾尊（イザナギノミコト）、熊野夫須美大神、伊弉冉尊（イザナミノミコト）をご祭神とした格式ある神社。少し離れたところにある摂社・神倉神社の立つ神倉山の山頂には、太古の昔、神々が降臨したといわれる、目を見張るほど巨大な石が鎮座しています。●和歌山県新宮市新宮1　☎0735-22-2533

山頂の巨石。太古の昔から存在しているが、なぜここにあるのか、
誰にもわからない。やはり、神々が降臨した証なのか

山頂の神倉神社からは、熊野の地を一望できる。この聖地に立つた
めに熊野に呼ばれたんだと、感じた

↑しっとりとした和の客室　→開びゃく1800年の温泉が満ちる。霊的なチカラを感じさせるような大浴場

旅館 あづまや

☎0735-42-0012

素朴なたたずまいが著名人たちを魅了。

1800年前に拓けた湯の峰温泉は、平安時代の天皇や貴族たちが熊野詣の際に心身を清めた地。なかでもここは日本の文人をはじめ、フランスの文学者として有名なアンドレ・マルロー夫妻などが愛した名旅館。静かでひなびた風情と温かいおもてなしが魅力。高野槙を使った大浴場は、木のぬくもりが印象深い、この宿の看板的存在。旅のノスタルジーをかきたててくれるお宿です。

●和歌山県東牟婁郡本宮町湯峯122　料金／1泊2食付き￥16,000～　IN13：00／OUT10：00

温泉しゃぶしゃぶ、温泉がゆ、温泉豆腐など、すべてのメニューに温泉水を使った会席料理

プールのような露天風呂

右・夕食には山菜や川魚などの旬の素材を使った会席料理がいただける。左・平成17年7月から、新装した特別室の予約を開始。特別料理の夕食が部屋食でいただけたり、冷蔵庫の飲み物、コーヒー券がサービスになる特典がある（写真は新装前）

わたらせ温泉 ホテルささゆり

☎0735-42-1185

西日本一のスケールを誇る露天風呂が自慢。

熊野本宮大社まで車で10分。静かで山深い熊野本宮温泉郷にある『ホテルささゆり』。ここの自慢は、西日本最大の露天風呂。一度に400人も入れるほどのスケールを誇り、さながら自然に囲まれた広大なプールのよう。このほかにも内風呂や、家族専用の貸し切り露天風呂など、露天風呂だけでも4つもある。いろいろ巡って、温泉三昧を楽しんで。

●和歌山県田辺市本宮町渡瀬45-1　料金／1泊2食付き￥19,050～　IN14：00／OUT11：00

　※データは2005年9月現在のものです

熊野牛を使った温泉しゃぶしゃぶは、とろけるような舌触り

右・落ち着いたたたずまいの温泉街。左・湯の峰温泉に湧く13本の泉源のうち3本を持ち、それぞれ泉質の異なるお湯を楽しめる

花や木の宿《はなやぎのやど》 伊せや《いせや》

☎0735-42-0008

旬の幸と温泉を取り入れた料理に舌鼓。

本宮に近い湯の峰温泉の中に立つ凛としたたたずまい。創業以来200年以上、現主人で十代目となる歴史を誇り、古くから文人、歌人、書家など多くの芸術家たちに愛されてきた宿。そこかしこに季節の花が飾られ、寛ぎの空間を演出。もてなしへのこだわりは料理も同様で、冬なら熊野牛の温泉しゃぶしゃぶやアマゴの塩焼きなど、地元の旬の食材がいただける。

●和歌山県東牟婁郡本宮町湯峯102　料金／1泊2食付き￥19,050～　IN15：00／OUT10：00

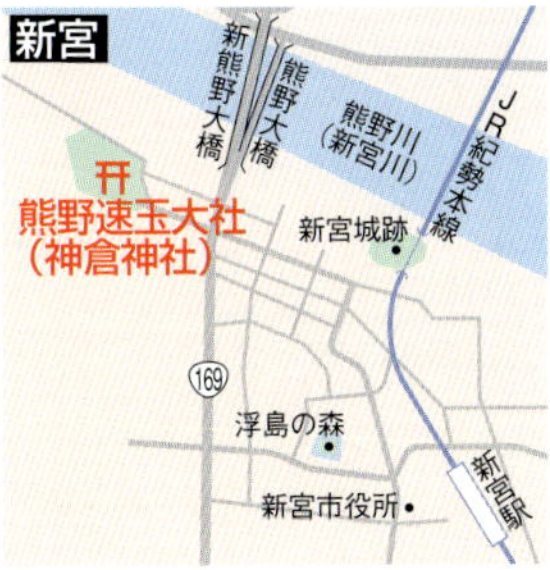

アクセス

飛行機／羽田空港から白浜空港まで約1時間15分、JR特急オーシャンアローで白浜駅からJR紀勢本線利用　電車／JR紀勢本線・特急オーシャンアローかワイドビュー南紀で、熊野本宮大社へは白浜駅、熊野那智大社へは紀伊勝浦駅、熊野速玉大社へは新宮駅下車　車／西名阪自動車道柏原IC—R165—橿原—R169

※データは2005年9月現在のものです

奈良編

「くにのまほろば」とも称えられた奈良の地。そのスピリチュアルなパワーは、現代でも少しも色あせずに保たれています。

古来、日本の神社は、立派な社殿を持ってはいませんでした。山や滝や木や……ときには、ひとつの石にご神気を感じた人々が、自然に頭をたれているうちに、そこが信仰の場となっていったのです。

神道には、「神籬（ひもろぎ）」という言葉があります。神様をお迎えする依り代となるもの、転じて神霊の集まる場所のことです。現代に生きるわれわれよりも、はるかに身近に神霊の気配を感じることのできた人々は、スピリチュアル・サンクチュアリを神籬として、大切に守り伝えていったのだと思います。

そうした意味でも、奈良はとても特別な土地です。日本最古の都を建てるとき、優れた感応力を持った古代の霊能者たちが、何の根拠もなく場所を選んだとは考えられないからです。奈良の地に、巨大な神霊のパワーを感じ取ったからこそ、都に定めたのでしょう。

奈良を歩いていると、今でもご神気が保たれているのを感じます。どれほど素晴らしいパワースポットでも、人間の気配が濃厚になればなるほど、力は失われてしまうもの。今でも奈良が素晴らしい神秘性を保っているのは、もともと大和国といわれた、奈良という土地の持っていたパワーが、それだけ強大だったのでしょう。また、山辺の道のあたりには、個性のある神社が点在しています。優しいご神気に満ちていたり、鋭いパワーを感じさせたり。自分で歩きながら、そうした個性を体感するのも、なかなか興味深いのではないでしょうか。

◉気高さと優しさを併せ持ったご神徳。

大神神社《おおみわじんじゃ》

心に傷を負った人でも優しく抱きとめてくれる、癒しの神社の素晴らしさ。

三輪山の美しい稜線を背にした大神神社は、大和国の一之宮として崇敬を集めてきた神社。広々とした境内には、常に清々しいご神気が満ちています。

一口にスピリチュアル・サンクチュアリといっても、そこには様々な個性が見られます。例えば、出雲にある須佐神社は、ぼくの個人的な感覚では、日本一の神社です。ただ、あまりにも強いパワーを持っているがゆえに、訪れる人を選ぶような雰囲気があります。正確にいえば、神様が参拝者を選別するのではなく、須佐神社の強く鋭いご神気に圧倒されてしまって、居心地の悪い思いをする人がいるのです。

その点、大神神社は、すべての人を温かく受け入れてくれるような、優しさに満ちた神社です。非常に霊格が高く、それこそ日本でも五指に入るほどのパワーを持っていながら、まったく鋭さがないのです。

感性の磨かれている人なら、大神神社の参道に足を踏み入れた瞬間に、神様が参拝者を歓迎し、受け入れようとしてくださっている気配を感じ取れるのではないでしょうか。神々の壮大なエナジーを保ちながら、少しも人間を拒絶しようとしない、本当に素晴らしい神社だと思います。ぼくが参拝させていただいたなかでも、指折りのお社だといっていいでしょう。

深い木立に囲まれた大神神社の境内。社殿から背後にそびえる三輪山を仰ぎ見れば、その神々しさに心を打たれるはず

大神神社のご神体は三輪山そのもの

大神神社のご神体は、社殿の背後にそびえる三輪山そのものです。オオクニヌシノミコトの別名といわれるオオナムチノカミが、自らの御魂を三輪山にお鎮めになり、御名をもってお祀りされたのが、大神神社のはじまりだといわれています。このため、大神神社にはご本殿に当たるものは設けられておらず、拝殿の奥にある三輪鳥居を通して、遠く三輪山を拝するようになっています。

実は、神社のなかには、山そのものをご神体としているところが少なくありません。霊山が持っているスピリチュアルなパワーを、人の目にわかりやすい形で象徴するように、お社が建てられていったのでしょう。大神神社の神祀りは、そうした原初の信仰のあり方を、色濃く伝えるものなのです。「神の宿る山」である三輪山は、現代でも一木一草にいたるまで、斧で伐採することを許されていません。松や杉、檜などの大樹が生い茂る情景は、さながら太古の昔を思い起こさせます。こうした霊山・三輪山のおおらかさが、そのまま大神神社の個性になっているのかもしれません。

神社を参拝するにも、人によって向き不向きがあり、

ここまで生々しく、神様が生きておられると感じさせてくれる神社は、全国でも数少ない

広大な境内のいたるところに、素晴らしい癒しのエネルギーが溢れているのが、大神神社の魅力

訪れるべき時期があります。心に傷を負ったり、何か悩んだりしている人は、須佐神社のような鋭くてパワーの強いご神気の神社ではなく、ぜひ大神神社を訪れてみてください。その気高くも優しいご神気に包まれているうちに、きっと静かに癒されていく自分を感じられるのではないでしょうか。

現代社会を生きるぼくたちは、常にいろいろなストレスに直面しています。忙しい日常のなかで疲れを蓄積させてしまったり、人間関係のむずかしさに傷ついたり、先行きの見通せない人生に不安を感じたり……。そんなとき、心身を癒すためのひとつの方法として、スピリチュアル・サンクチュアリを訪れてみることを提案します。特に大神神社は、おおらかで優しいご神気によって、参拝者をあたたかく抱きとめてくださると思います。

また、大神神社の摂社である狭井神社(さいじんじゃ)は、病気平癒に霊験あらたかな神社として、全国的に知られています。境内の「薬井戸」から湧き出る水は、ご神水として有名で、常に参拝者が絶えません。ご神体である三輪山から湧き出る水だけに、その霊気

三輪山のふもとに立つ摂社・狭井神社。小さな社でありながら、強いご神気を感じさせる

多くの神社に「ご神水」と呼ばれる湧き水があり、〝神の力の宿る水〟として、主に病気平癒などの霊験が伝えられている。名水のあるところには、名神社ありとも。右・狭井神社のご神水は特に有名で、全国から水を汲みに来る人たちが引きもきらない。左・狭井神社は三輪山の登拝口

が宿っているのでしょう。参拝する機会があれば、ありがたくいただいて、パワーを吸収しましょう。

狭井神社は、三輪山の登拝口でもあります。ここから山頂を目指すただ一筋の道だけは、入山することが可能です。登山を希望する場合は、尊いご神体の山であることを忘れず、必ず決められたルールに従ってください。

大神神社 ●おおみわじんじゃ

大和国の「一之宮」として、広く崇敬されてきた大神神社。ご祭神はオオモノヌシノオオカミ。三輪山全体をご神体としています。●奈良県桜井市三輪1422　☎0744-42-6633

◉古代信仰の中で異彩を放つパワースポット。

石上神宮

いそのかみじんぐう

びりびりするぐらい強いエネルギーのある聖地と呼ぶにふさわしい神社。

石上神宮は、昔からスピリチュアルなパワーの強い神社として有名なところです。一般的な知名度では、それほど高くないかもしれませんが、まさに知る人ぞ知る存在だといっていいでしょう。

ご祭神は、神武天皇の天剣などの霊力を総称して、石上大神としています。日本最古の神社のひとつであり、武門の統領だった物部（もののべ）氏の総氏神として、古代信仰のなかでも独特の異彩を放っています。

天神庫（あめのほくら）という宝物殿には、数多くの神宝類が保管されていました。特に「七支刀」（ななつさやのたち）と呼ばれる、剣の左右に枝のように刃の出た神剣は、古代の日朝関係を考察するうえで重要な意味を持つ文化財として、国宝に指定されています。

実際に石上神宮を訪れてみると、確かに強いパワーを感じます。しかも、修験道の霊場に近いような、鋭いご神気の宮なので、たましいの修行をするには、最適の場所だといっていいのではないでしょうか。

ただし、エネルギーの強さだけに惹かれて参拝するようでは、あまり望ましい結果にはなりません。目先の現世利益を願ったり、興味本位に訪れるのではなく、自分自身を高め、人生を切り開いていこうと決意したとき、心してお参りするようにしてください。

約1700年前、崇神天皇の時代まで天皇と御座を同じくしていた天剣を奉祀したのが、石上神宮のはじまり。奈良朝以前に、「神宮」の名を許されたのは、伊勢神宮と石上神宮しかなく、その格式の高さがうかがえる。その後、スサノヲノミコトがヤマタノオロチを退治した霊剣も、石上神宮に奉祀されたと伝えられている。拝殿の奥にある本殿は、大正時代に建てられたもの。それまでは本殿・神殿とも建立されておらず、剣先状の石玉垣に囲まれた禁足地を、ご神体として拝していた。明治7年の発掘では、この禁足地から剣や勾玉などが出土した

石上神宮●いそのかみじんぐう

『古事記』『日本書紀』にすでに「石上神宮・石上振神宮」の記載があるほど、歴史の古い神社。古代の豪族、物部氏の氏神であり、大和朝廷の武器庫だったともいわれています。●奈良県天理市布留町384 ☎0743-62-0900

天河大辨財天社《てんかわだいべんざいてんしゃ》

◉参拝客の途絶えない人気の神社のひとつ。

静かに耳を傾ければ、崇高なご神体の声が聞こえてくる……。

役行者が開いた霊場・大峰山の山懐に抱かれるようにして立っているのが、天河大辨財天社です。天河大辨財天社は、高野・吉野・熊野という、日本の三大霊場を結んだ三角形の中心に位置する神社で、三大霊場の中心点であるといわれ、大峰山の鎮守のために創建されたと伝えられています。

ご祭神はイチキシマヒメノミコトで、俗に「弁天様」とも呼ばれる女神様です。弁財天は、川の流れの妙なる様を神格化したもので、水の神様であると同時に、「水のせせらぎの如く素直で妙なる弁舌や音楽の神」として、芸能の守り神としても信仰を集めています。

天河大辨財天社の由緒のひとつに、弘法大師の参籠があります。高野山を開く前、弘法大師が大峰山で修行を積まれたのは、歴史に残されているところですが、そのときに最大の行場となったのが、天河大辨財天社だったのです。このため、天河大辨財天社には、大師が唐から持ち帰られた密教法具など、大師由来の遺品の数々が残されています。

天河大辨財天社は、霊能力者の間では、昔から有名なパワースポットのひとつとして知られていました。三大霊場を結んだ中心点に立つという、土地としての神秘性が、多くの人の興味をかきたててきたのでしょ

う。

また、芸能関係者や文化人の間で、天河大辨財天社への崇敬が厚いことも、人気に拍車をかけているようです。交通の便が悪く、いざ天河まで行くとなると、かなりの覚悟と時間が必要になるにもかかわらず、参拝者が途絶えることはありません。なかには、頻繁に天河を訪れては、参拝を重ねる人もいるようです。

天河大辨財天社は、確かに優れたパワースポットです。さらに、ぼくが感じるところでは、イチキシマヒメノミコトだと思われるご神体は、とても崇高で優しいエネルギーに満ちた神様でした。スピリチュアル・サンクチュアリに関心のある人が、この神社に注目するのも当然だと思います。

それだけに、天河大辨財天社を参拝する場合は、気持ちを引き締める必要があります。神秘体験を求める浅はかな気持ちでお参りしたりすることは、絶対に控えてほしいのです。天河のご神霊は、そうした参拝者をお喜びにはならないのではないでしょうか。

実際、ぼくが参拝したときにも、非常に清らかで優しいご神気を感じると同時に、ご神霊の嘆きの声がは

豊かな木々に囲まれた静かなたたずまいの境内。じっと立ち止まると、神霊のささやく声が聞こえてきた

っきりと聞こえました。天河のご神霊は、人間の愚かさを悲しみ、自己中心的な人々の生き方に、御心を痛めておられました。

聖地を訪ねる意味とは、清らかなパワーを体感することにあると思います。一部の人たちの間で流行しているようなオカルト趣味の神社巡りでは、神霊の声は聞こえないでしょう。天河大辨財天社を参拝するときは、謙虚な気持ちでご神気を感じ取ってください。

天河大辨財天社●てんかわだいべんざいてんしゃ

草創は飛鳥時代にさかのぼる古い歴史を持ち、天武天皇により現在の場所に創建されました。厳島、竹生島と並ぶ日本三大弁財天で、芸能の神様としても知られます。能楽ともかかわりが深く、7月の例大祭では能の奉納も行われます。●奈良県吉野郡天川村坪内　☎0747-63-0558

ご本殿の真向かいには、本格的な能舞台が。1970年に観世流の能が
奉納されてから、毎年の例大祭で様々な芸能が奉納される

おみくじに書かれた言葉は、神様から与えられる貴重なメッセージ。
大切に持ち帰って、その意味を自分なりに把握してほしい

↑趣のあるティーラウンジでお茶　→「平成の大時計」が時を刻む、ロビーの桜の間。インテリアに風格が

奈良ホテル

☎0742-26-3300

時が止まったような静寂と歴史の薫りを楽しむ。

創業は明治42年。関西の迎賓館として100年近い歴史を刻んできた奈良ホテル。創業時と同じたたずまいを残す、瓦屋根に白い漆喰壁の木造の本館は、桃山御殿風の総檜造り。ロビーはふかふかの赤いじゅうたんが階段の下まで続く。格子天井や欄間といった和の様式が洋風の調度と不思議に調和し、ユニークな気品を醸し出す。かつての優雅な旅の様子を感じさせる、歴史的ホテルです。

●奈良県奈良市高畑町1096　料金／室料ツイン¥26,565～、シングル¥16,170　IN15：00／OUT11：00

細部にまで歴史と伝統を感じさせる調度が。クラシカルなものも、ちゃんと現役で活躍中

↑格式ある店内。イス席もある　→水は天然の岩清水、炭は備長炭を使用。調味料も吟味したもの

日本料理《にほんりょうり》 萩王《はぎおう》

☎0744-54-3688

歴史ある名建築の邸内で
四季折々の日本料理を。

100年前の敷地600坪、建坪180坪の大豪邸を活かした、本格派の日本料理店。通常の懐石のほかに、春は飛鳥の地の山菜や筍、夏は天然鮎、うだ牛のステーキ、秋はジビエ、冬はかぶらのふろふきなど、四季折々の奈良の食材を使った、伝統と新しさをミックスした料理がいただける。デザートには、日本料理に合うあっさりしたフランス菓子を用意。併設のギャラリーでは、随時個展も開催。

●奈良県高市郡明日香村飛鳥180　㊟11：30～14：30、17：00～20：30　不定休

焼き菓子は、地方発送も可。お昼は50食限定のお福弁当￥2,625と飛鳥懐石￥5,250。夜は四季の懐石￥10,500と￥15,750。昼、夜とともに予約がベター

↑上品な甘さのそば茶あんみつ￥500
→おダシのふくよかさも、そばの自然の甘みも最高の鴨汁そば￥1,200

そば切り百夜月《そばきりももよづき》

☎0742-24-5158

空間のセンスも別格！
奈良・ニューエイジそば。

まるでオープンカフェみたいなスタイリッシュな空間、アジア雑貨を取り入れた器選びとも、本格そば店のイメージを革新するセンスのよさ。そばはすべて石臼挽き。毎日10食限定で、欠かさず手挽きも作る情熱にも恐れ入る。そばの上質さ、空間、なごめる立地の3つがこれほど見事にそろった店はちょっとないはず。

●奈良県奈良市中筋町38　㊔11：30～14：30、17：30～19：30（土曜～15：00まで）　日曜定休　全席禁煙

通りに向かって大きくガラス戸が開かれた空間は、名建築家、松本正の作。身を置くだけで心がほぐれる

飛鳥藍染織館

あすかあいせんしょくかん　☎0744-54-2003

ひとつひとつが一点モノの藍染と土鈴を展示。

築150年の古民家を改装し、藍染に魅せられたオーナーの渡辺誠弥さんが開いた美術館。一枚一枚が芸術品である藍染約1000点と、民俗学者である鈴木正彦さんが集めた土鈴約13000点を展示。こちらでは、藍染や土鈴の絵付けなども体験できる。また、予約すればオーナー自慢の本格派の手打ちそばを中心とした田舎料理もいただける。

●奈良県高市郡明日香村岡1223　㊡11：30〜14：00、17：00〜18：30　不定休

素朴な味わいが絶品の芋きんつばは、ぜひいただきたい。紫イモ味と鳴戸金時味がある。1個¥150

池利三輪素麺茶屋 千寿亭

いけりみわそうめんちゃや　せんじゅてい　☎0744-45-0626

伝統を守り続ける老舗の素麺を味わって。

三輪そうめんの老舗『池利』が経営する素麺茶屋がここ。三輪素麺のおいしさの特徴は、麺が細く、こしが強いこと。ダシの効いたツユの旨味が生きる、シンプルな冷やし素麺（¥735）をはじめ、卵やお茶、ごまを使った変わり素麺や、各種にゅうめん、会席風お膳まで、多彩なメニューから選べる。

●奈良県桜井市芝293　㊡11：00〜17：00　金曜定休（1日、祝日の場合は前日休み）　ランチの千寿亭昼膳は¥1,575

冷やし素麺は卵、抹茶の彩りもきれいな定番メニュー。天ぷら付きは¥945。にしんの棒煮と揚げ茄子の入った、かわりにゅうめん¥735

　※データは2005年9月現在のものです

森正《もりしょう》

☎0744-43-7411

大神神社に抱かれるように たたずむ古民家で名物素麺。

日本で最も古い神社の一つである大神神社。荘厳な大きさに圧倒される、その鳥居のすぐそば。表参道を横に入ったところにあるそうめん処。三輪は言わずとしれたそうめんの特産地。古い民家ののれんをくぐると、風情ある庭が広がり、季節のさわやかな風を感じながら、本場のそうめんをいただける。手作りのぬくもりが残る柿の葉寿司もぜひ食べたい一品。

●奈良県桜井市三輪535 ㊋10：00～18：00（11月中旬～4月下旬は～16：30） 月・火曜定休（1日と祝日にあたる場合は営業）

↑古民家のたたずまいが歴史を感じさせる ←釜揚げ￥800、にゅうめん￥700。冬期以外は冷やしそうめんもいただける

橿原《かしはら》ロイヤルホテル《ろいやるほてる》

☎0744-28-6636

備長炭の「いやしルーム」と 新たに温泉も誕生！

明日香村や山辺の道への散策に便利な橿原神宮駅前。大和三山を望む、日本の歴史の宝庫に位置するホテル。こちらの注目は、和室、洋室それぞれ用意された「いやしルーム」。室内装飾から寝装品に至るまで、様々な形で備長炭を活用している。2005年9月に新しい温泉「かしはらの湯」も登場。岩風呂、檜風呂、サウナも完備。ゆっくりお湯につかれば、旅の疲れもいやしてくれそう。

●奈良県橿原市久米町652-2 料金／室料ツイン￥26,250～（いやしルームは＋￥3,000） IN15：00／OUT11：00

「いやしルーム」で使う備長炭には消臭、脱臭マイナスイオンの吸着効果があるので、高いリラックス効果が期待できそう

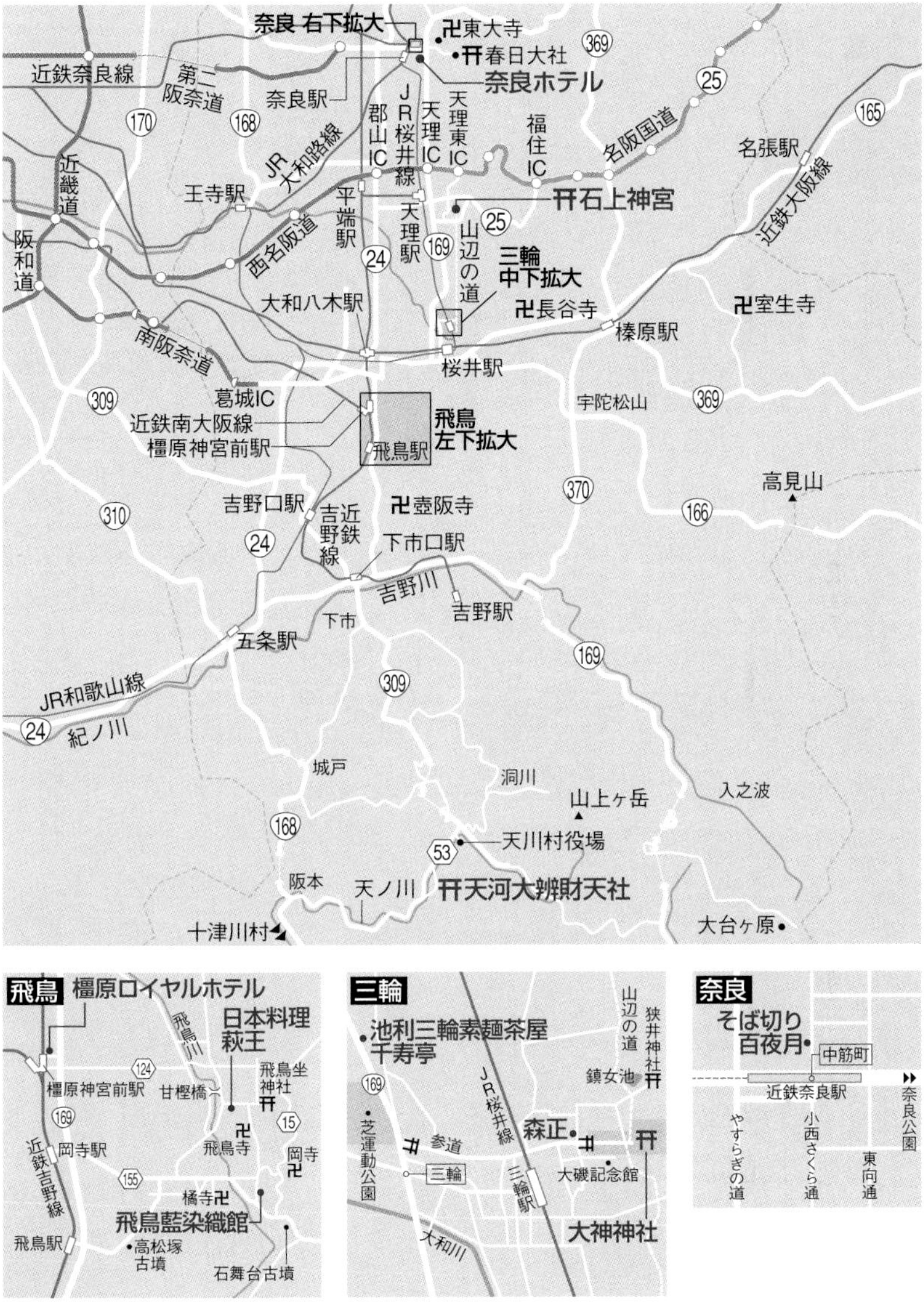

アクセス

大神神社へ●電車／JR桜井線三輪駅より徒歩5分　車／阪神高速―西名阪道郡山IC―R24―R169　石上神宮へ●電車／JR桜井線、近鉄天理線天理駅下車。徒歩20分　車／阪神高速―西名阪道天理IC―R169　天河大辨財天社へ●電車／近鉄吉野線あべの橋駅―下市口駅。中庵住（なかいおずみ）行きバス、神社前下車すぐ　車／R309―天川川合―県道53号―弁天橋

※データは2005年9月現在のものです

江原啓之旅日記

❶

「不思議」編

江原啓之行くところ、スピリチュアル現象あり!?
今回の旅で出合った、不思議の数々。

パワースポットの旅は、当然といえば当然だが、不思議な出来事なら枚挙にいとまがない。なかでも特筆すべきことは三つ。

その一つは、九州に行ったときの鵜戸神宮での出来事。鳥居をくぐり境内に入ったとたん、ぼくの頭上にはずっと鳥がついてまわった。その鳥には、若き王子の姿が霊視され、ぼくには、すぐこの神社のご神霊であるとわかった。あたかも歓迎し、見守っているかのように、ずっと近くを飛びまわっている。帰りには鳥居を出る時まで同行（?）し、車のそばまで別れを告げるかのように接近してくれた(九州編に登場予定)。

もう一つは、熊野の神倉神社でのこと。五百段以上にも及ぶ険しい石段がそびえ、山道ばかりの取材の疲れから、皆その高さに尻込みしていた。そこで、ふもとの鳥居の前で、写真を撮影することのみにとどめようと決めた。

鳥居の下でポーズをとっていたとき。どこからともなく、ぼくの耳に声が聞こえてきた。その声は荘厳な響きで、ぼくを呼んでいる。すると自分でもまったくの自覚なく、くるっと振り返り、石段を見上げるや否や、一目散に駆け上り始めた。自分でもおかしくなるほど速い。まるで何かに引っ張られるようで、休むこともなくあっという間に、山頂のお宮の前に立っていた。

そこに着くと、「ここが熊野のもとである」という声が聞こえ、ぼくは一人、感慨深い思い

天河のお社です。
清らかなご神霊に出会った!

←天河大辨財天社では、しばらくトランス状態に

おでむかえありがとう!!

→霧島東神社(九州編登場予定)では、巳様がお出迎え。ゆっくり、目の前にお姿が……。とても研ぎ澄まされたパワーのお宮でした

↓熊野では、本当に様々なパワースポットに出合いました。ここは「那智の滝」への道にある場所

女性は見ちゃダメ!なんだって
しかし確かに神秘だったなぁ〜

パワーロード
熊野にて、ここはすごーい!

↑霧島東神社の泉。すごいパワーあり。ただし、女性はのぞいてはNG

でたずんでいた。後から必死に追いかけてきた一行の、あたふたとあえぎながら上ってきた姿が、気の毒で哀れだったこと。皆が口をそろえ「やっぱり江原啓之は霊能者だった」と、今さらながら感嘆している。当然のことなのに……。まあ、確かに、旅取材中、ぼくが嬉しそうにソフトクリームなんかを手にしている姿を見ていれば、疑わしい限りだったのかもしれない。

とにかくこの旅は、不思議なことばかりだった。最大の不思議は、どこでも雨がついてまわったことだ。しかしお参りを終え、ご神霊の意思を受けとめると、なぜか雨が上がり、日が射した。ぼくたち一行は、これを「浄化の雨」と呼んだ。

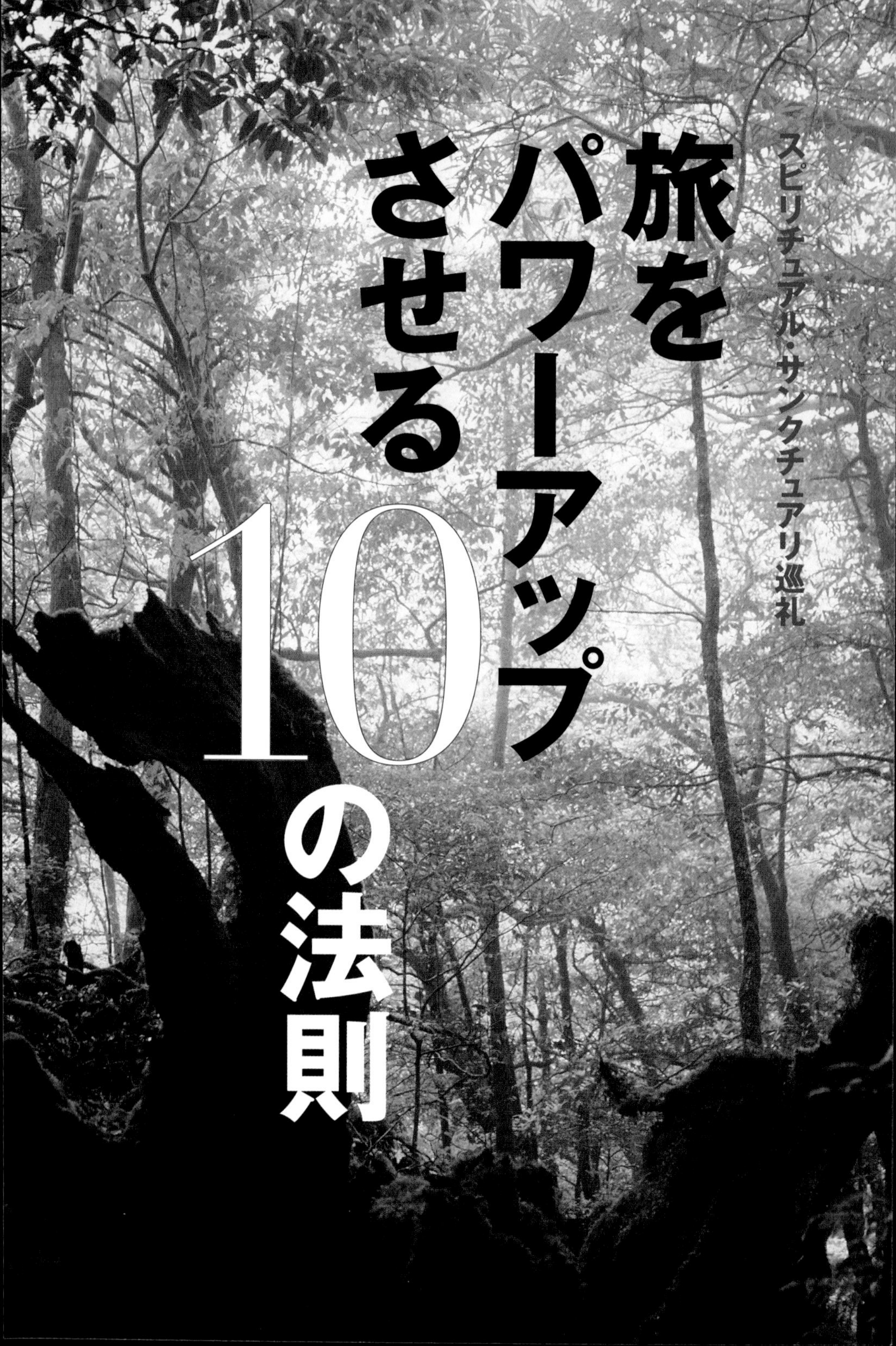

スピリチュアル・サンクチュアリ巡礼

旅をパワーアップさせる10の法則

実際に聖地を訪れる前に、
絶対に知っておいてもらいたい法則が
いくつかあります。あなたの聖地巡礼を、
より有意義なものにするための、
いわば神霊との約束事です。
もしかしたら、堅苦しいとか、面倒だとか、
思われてしまうかもしれませんが、
どうか心にとどめておいてください。
神霊のエナジーを吸収し、
その神聖なメッセージを受け取るためには、
絶対に必要な10の法則なのですから。

01

まず、産土の神様と氏神様にお参りする。

スピリチュアル・サンクチュアリに出合いたいと思ったとき、まずどこに向かえばいいのか……。多くの人は、伝統と格式のある神社仏閣を訪ねたり、パワースポットとして有名な場所を探したりすると思います。真剣に神霊の声を聞きたいと望めば望むほど、遠くを見てしまうのが、人間というものだからです。

しかし、本当の意味で「あなたの聖域」を見つけたいと考えるのなら、最初に訪れるべき場所があります。産土（うぶすな）の神様と氏神様です。聖地巡礼の約束事として、どうかこの順番を守ってください。

産土の神様というのは、あなたが生まれた土地を統べる神様です。日本に生まれた人は、どんな信仰を持っているかにかかわらず、必ず神様のご加護を受けています。人は神様に助けていただきながら生まれ、死ぬときもやはり助けていただくのです。なかでも産土の神様は、いわば「担当者」として、あなたをこの世に送り出してくださった、とてもかかわりの深い神様です。また、氏神様は、あなたが住んでいる土地を支配しておられる神様であり、現在のあなたを守ってくださいます。そうした神々への参拝をないがしろにしては、何事もはじまらないでしょう。ただし、家の一番近くにある神社が、必ずしも氏神様とは限らないので、この点は注意してください。隣同士で町名が変わる場合があるように、神社の管轄は住所によって決まっています。どの神社が産土の神様や氏神様に当たるのか、はっきりとわからない場合は、神社庁に電話をかけて問い合わせをしてみるのもいいでしょう。

自分の家のすぐ近くにあるサンクチュアリを大切にする暮らしは、とても素晴らしいものではないでしょうか。

02

好きだと思う神社こそが、あなたの聖地。

産土の神様と氏神様にお参りして、日頃のご加護に対するお礼を申し上げたら、次はあなたの好きな神社や、興味のある聖地に出かけて行きましょう。

ぼくは、よく「どの神社にお参りしたらいいですか?」と聞かれることがあります。その場合、ぼくが好きな神社や、ご神気の強い神社などをお教えしていますが、そこに行ってほしいというわけではありません。客観的に見て素晴らしい神社と、その人にとって意味のある神社は、必ずしもイコールになるとは限らないからです。

例えば、ぼくにとって日本一の神社である須佐神社は、とても霊力の強い神社です。ところが、強いご神気が漂っているからこそ、「何となく怖い感じがして落ち着かない」という人もいます。その人の求める気と、須佐神社が発している強くて鋭いご神気が、一致していないからです。

同じようにご神気の強い神社でも、九州の高千穂神社や奈良の大神神社などは、とても柔らかくて優しい雰囲気を持っています。当然、高千穂神社や大神神社が好きだという声はとても多いのですが、なかには「何だか物足りない」と感じる人もいるでしょう。

「自分は霊能力がないのでよくわからない」などと、考える必要はありません。神社を訪れたとき、第一印象でどんな感じを受けたのか。その神社の境内にいて、居心地がいいと感じるのかどうか。また来てみたいと思ったのかどうか……。大切なのは、それくらいのことです。聖地を判断する場合、絶対的評価は存在しません。社殿の大きさや神社の格式、世間の評判などにこだわることなく、自分の好きな場所を見つけられれば、それが聖地巡礼の正しい道筋なのです。

03

現世利益にこだわる心が神を遠ざける。

神社にお参りすると、ほとんどの人は何らかの願い事をします。あるいは、願い事をするためにこそ、神社に行くのだと思われているのかもしれません。

神社の絵馬を見ると、そうした人の心がよくわかります。良縁祈願や合格祈願はまだいいとして、なかには「何が何でもお金持ちになりたい」とか「○○さんと結婚したい」とか、まるで神様のお力を好き勝手に利用しようとしているような、わがままな願い事が少なくないのです。

本来、神社とは願い事のために訪れる場所ではありません。日頃の見守りに心から感謝し、今後のご加護をいただけるよう、ご挨拶させていただくのです。ご加護をお願いする延長として、ある程度のお願い事は許されるとしても、あまりにもむき出しの現世利益を求めるのは、どうか慎んでください。愛と叡智の神様に対して、自分勝手な私利私欲だけで願い事を並べても、ご利益などあるはずがありません。何よりも、神様を利用することしか考えないような心がけでは、参拝する意味がないでしょう。

神様に願い事をしただけでご利益があるというのなら、それはかえって不公平というものです。神社に参拝する機会がないというだけで、一生懸命に努力している人を、結果的にないがしろにするような真似を、神様がなさるはずがありません。よく「○○をやめて願掛けをしている」という人がいますが、それも人間の自分勝手な理屈です。「それほど努力する」という気持ちが大切なのであって、神様が目先の条件など出されるはずがないでしょう。

現世利益を求める心が、かえって神様との距離を隔ててしまうのだということを、覚えておいてください。

04

効果的なお願いの方法を把握しておく。

現世利益を求めてはいけないからといって、何も願い事そのものがタブーなわけではありません。ご加護をお願いする延長としての願い事や、きちんとルールを守ったお祈りなら、させていただいてもかまわないでしょう。要は、「神様に対するお願いの方法を知るべき」だということです。

仮に、会社の採用試験に合格したいと考えている人がいたとしましょう。Aさんは、神様に向かって「あの会社に入りたいので、試験に合格させてください」とお祈りしました。お願いの方法としては、ごく一般的なやり方です。

一方、Bさんの言い方はこうです。「あの会社に入りたいと思って、自分なりに精一杯努力したつもりです。後は試験を受けるだけですので、緊張せず力を出し切れますように、どうか見守ってください」と。神様に頼って、ただ結果だけを求めているAさんと、自分の力で頑張って、その実力を出し切れるようにとだけ願っているBさん。どちらが神様のお心に適うかは、いうまでもないでしょう。

神社にお参りして、神様に願い事をするからといって、本当の「神頼み」になってはいけません。願い事を叶えるのは、神様のお力ではなく、あくまでも自分の努力があればこそなのです。その大原則をしっかりと守ったうえで、許される分だけのご加護をお願いしましょう。「神は自ら助くるものを助く」ということわざは真理ですから、身勝手な神頼みには応えていただけなくても、努力の後でお祈りしたことなら、神様のお耳に届くかもしれません。「人事を尽くして天命を待つ」ということわざも、また昔から伝えられている真理なのです。

05

神様からのメッセージを受け止める感性を。

神様に願い事をする場合、本当に大切なのは結果ではありません。ご利益のあるなしにかかわらず、神様からメッセージをいただき、それを感じ取ることが大切なのです。

神様からのメッセージというと、ほとんどの人は何か神秘的な事象を想像するかもしれません。厳しい修行の末に、神様の神々しいお姿を目にするとか、夢の中に神様が現れて、何か特別なお告げをしてくださるとか……。神話や伝説に書かれているような、目に見え、耳で聞こえる、華々しい奇跡を思い浮かべる人も多いのではないでしょうか。

ぼくは、よく神霊の声を聞いたり、お姿を目にしたりします。神社に参拝するときも、ほとんどの場合、神様から何らかのメッセージを受け取っています。そうした神秘体験を重ねるのは、ぼくが人よりも霊能力のアンテナが強いからで、誰もが同じ経験をするわけではありません。また、神秘体験をするからえらいわけでもないので、そこは誤解しないでいただきたいと思います。

人は誰でも、必ず霊能力を持っています。目や耳で神霊を感じ取れるタイプの人と、感じ取れないタイプの人がいるだけのことなのです。あなたが感じ取れないタイプだったとしても、メッセージを理解する能力さえあれば十分です。

例えば、神社でひくおみくじ。そのおみくじに書かれた言葉ひとつとっても、神様が与えてくださった貴重なメッセージなのです。大切なのは吉凶ではありません。おみくじに書かれた言葉の意味なのですから、そうした日常的な啓示こそ、見逃さないようにしてほしいのです。

06
悪い結果でも受け入れるだけの覚悟を持つ。

神様に何か願い事をして、それが叶ったとしたら、誰でも喜んで結果を受け入れることでしょうし、よほど非常識な人でない限り、神様に深い感謝を捧げると思います。では、必死にお願いしたにもかかわらず、結果が悪かった場合はどうでしょう。願い事が真剣なものであればあるほど、悲しく残念な気持ちが募って、神様に対して恨みがましい思いを感じてしまうのではないでしょうか。

そうした感情の動きは、ぼくにもわからないわけではありません。しかし、スピリチュアルな観点からいうと、やはりそれは間違いです。神様に失礼であると同時に、あなた自身のためにもなりません。

いうまでもなく、愛と叡智の象徴である神様は、私たちには想像することもできないような高みから、長い目で私たちの一生を見守ってくださっています。あるいは、現世だけでなく、来世や来々世までも見通して、トータルでよりよい結果になるように考えてくださっているかもしれません。

一生懸命に努力をしたにもかかわらず、悪い結果が出たときには、そうなるだけの意味と理由があります。人間の狭い視野で、納得のいく答えが得られなかったとしても、神様の高い次元のお考えにおいて、そのようになさったのです。

目の前の結果に結びつかなかったからといって、不平不満を持つようなら、最初から神様にお願いする資格はありません。お祈りするということは、神様にすべてをゆだねるということです。もし望むような答えが出なかったとしても、それが結局はあなた自身のためになるのだと信じて、進んで悪い結果を受け入れてください。

07

自分を見つめ直す時間こそが本当のご利益。

神社をはじめ、聖地と呼ばれる場所を訪れるのは、現世利益をお願いするためではありません。これは、すでに何度も強調してきたとおりです。では、人は何のために聖地に行くのでしょうか？

ひとつは、日頃の見守りに感謝し、さらなるご加護をお願いするため。もうひとつは、「内観」の時間を持つためです。内観とは、自分自身の精神状態やその動きを、内面的に観察することをいいます。自分が何を考え、何を望み、何に悩んでいるのか。自分の心をのぞき込み、普段は意識していない内面を整理していくのです。

私たちの日常生活は、時間やお金に追われ、人間関係に振り回されています。ゆっくり立ち止まって考える時間もなく、いつの間にかじっくり物事を考えるという習慣すら、失いつつあります。自分を見失い、しかもその事実にすら気づいていない人が、少なくないのではないでしょうか。

内観のないところには、たましいの成長はありません。自分を見つめ直す時間がなければ、どんな経験も本当の意味では実にならず、あなたを内面から輝かせることはできないでしょう。

聖地では、時間の流れがとても穏やかです。静かな境内にたたずめば、きっとゆっくり内観する時間が得られるはずです。しかも、境内にはご神気が漂い、神霊の気高いエナジーを吸収できるのです。きっと普段の自分では不可能なほど、深く、正確に内観することができると思います。

内観の時間は、あなたがよりよい方向に進むための助けになります。貴重な内観の時間そのものが、得がたいご利益だといっていいでしょう。

08

迷信に振り回されないだけの理性が必要。

聖地を回るとき、人は様々な迷信に振り回されてしまうものです。カップルで弁天様のお社を訪ねたら、嫉妬されて別れさせられるとか、悪い結果の出たおみくじは神社のどこかに結んで帰るとか。さらに、お寺の石段で転んだら早死にするとか、卵をお供えしたら願い事が叶うとかいった、それぞれの神社仏閣にだけ伝わっている、限定された迷信もあります。

ぼくがここで強調したいのは、根拠のない迷信に惑わされないでほしいということです。たとえば、カップルで訪れたくらいで嫉妬するなどというのは、弁天様に対してあまりにも失礼です。崇高なご神霊が、それほど狭量なはずがないではありませんか。

誰が始めたのかわかりませんが、おみくじを神社に結んで帰るというのも、まったく意味のない行為です。おみくじは、良い悪いという結果を見るものではなく、そこに書かれた神様のお言葉が重要なので、むしろ大切に持ち帰ったほうがいいでしょう。

それぞれの神社仏閣の迷信にいたっては、いたずらに恐怖心を煽っているとしか思えません。多分、石段は危ないので転ばないように気をつけようというような、ある意味の警句であったものが、いつの間にか人を怖がらせるような迷信に変化してしまったのでしょうが、それをあたかも神仏のご意思のように受け取るのは、明らかな間違いです。

聖地巡礼は、スピリチュアルな行為です。しかし、スピリチュアルであることと、意味のない迷信に振り回されることとはまったく別なので、そこはしっかりと区別してください。ご神霊は、恐怖で人間を縛ったりなさいませんし、何かを強要するなど、絶対にあり得るはずがないのです。

09

低級霊につけ込まれないよう気をつける。

神様にお願い事をして、それが叶えられたとします。お願い事をした人は、喜んで感謝を捧げるでしょうが、それが神様のお計らいとは限りません。困ったことに、人の願望を叶える力を持っているのは、神霊だけではありません。低級霊でもそれだけの力は持っていますし、むしろ、人間の現世利益を叶えようとするのは、圧倒的に低級霊なのです。

低級霊が人間の願望を叶えるのは、巧妙な悪意です。努力もせずに結果を出させて、逆にその人をだめにしたりするのです。願望を叶えられて、一時期は幸せになれたとしても、長い目で見ると、決して幸せには結びつかないでしょう。

一方、神霊は、大いなるお力で私たちを見守ってくださいますが、日常的な現世利益にはほとんど介入なさいませんし、ときには低級霊が現世利益を叶えるのを黙って見守っている場合もあります。低級霊に振り回されることも、本人の学びにつながると判断なさったからです。また、その人の人格を試すための、神様のお試しということもあるでしょう。

お願い事をする場合は、神霊と低級霊を間違えないように注意してください。もし、「タナボタ」の幸運が落ちてきたら、自分のあり方を振り返ってみてください。努力もせずに叶ったのなら、低級霊の仕業にしろ、神様のお試しであるにしろ、必ず何らかの代償を求められます。決して幸運に驕ることなく、心を引き締めて、よりよい自分を目指しましょう。

逆に、真摯な努力の結果として幸運が回ってきたのなら、それは神霊のご加護ですから、心から感謝を捧げ、いっそうの努力を続けてほしいと思います。その気持ちさえあれば低級霊を恐れる必要はないでしょう。

10 神社オタク・宗教オタクにならない謙虚さを。

自分自身が霊能者でありながら、ぼくは霊能者や霊能力に対するこだわりを持った人に、戸惑いや反発を感じることが少なくありません。オカルト主義とでもいうのでしょうか、霊能力の強弱を競ったり、パワースポットに関する知識を執拗に集めようとしたり。ときには、自分は霊能力があるのだと主張したいあまり、人といさかいを起こすようなケースすらあります。そうした人たちを見ると、ぼくはいつも、とても悲しい気持ちになります。

神社オタク、宗教オタクになってしまうのは、その人が傲慢だからです。特別な人間でありたいと望むあまり、やみくもに霊的体験を求め、奇跡を望み、知識にこだわるのです。自分を神になぞらえて、自己満足に浸っているのかもしれません。

さらにいえば、特別な人間になりたがるのは、その人が弱い人間である証拠です。強い心の人は、ありのままの自分を受け入れ、そこから成長しようとするのに、弱い人間は自分の弱さを認められず、神霊の力で高みにのぼろうとするのでしょう。

まるでスタンプラリーのように、スピリチュアル・サンクチュアリを訪ねた回数を増やしたとしても、スピリチュアルなパワーが高まる可能性はありません。オカルト主義の神社オタクや宗教オタクは、神様に近づこうとしているにもかかわらず、逆にその傲慢さによって、神霊のエナジーを拒否する結果になりかねないのです。

霊能力が強いかどうかなどということは、実は大きな問題ではありません。それにこだわるのは、自分が未熟な証拠です。聖地を訪れるときは、どうか謙虚な気持ちを持って、ご神気を感じ取ってください。

たましいに響く
お参りの方法、
特別に教えます。

日本の神社は、神様のおられる神聖な場所。
そのスピリチュアル・サンクチュアリを
参拝させていただくのですから、
ふさわしいだけの知識を持ち、
正しい手順と作法によって、
心をこめてお参りするべきでしょう。
形式にこだわるわけではありませんが、
参拝にまつわる所作には、
すべて深い意味があります。
形に託された崇敬の思いを知れば、
きっと、たましいに響くはずです。

お参りの前に。

神様のもとを訪問するための礼儀作法を身に付けましょう。

神社を訪れる場合には、いくつかの決まりごとがあります。神職ではない一般の人にとっては、絶対にそうしなくてはならない、というほど厳格なものではありませんが、できることなら守っていただきたいと思います。神社は神様のおわします神聖な「家」なので、訪問する側の私たちにも、礼儀が必要なのです。

まず、最初に注意してほしいのは、正中は通らないということです。正中とは、神社や鳥居の中央部分のこと。ここは神様がお通りになる道なので、人間は左右どちらかに遠慮して、道をお空けするのです。ご本殿から下がる場合も、できるだけ神様にお尻を向けないよう、気を配ってください。

参拝の時間は、朝日が昇ってから午後二時、三時頃までが基本。「逢魔が刻」というように、夕方は幽界の時間に入ってしまうからです。夜のお祭りや初詣など、特別な場合を除いては、できるだけ早いうちに訪問させていただきましょう。

それ以外では、あまり神経質になる必要はありません。よく「生理中の女性は不浄なので、参拝してはいけない」などという言い伝えもありますが、神様にも女性にも失礼な話だと思います。神様がそんな狭量なことを思われるはずがありません。また、白い服でお参りするといいというのも、「それくらい改まった気持ち」が望ましいということだと心得てください。

1 神様の通行を邪魔しないような立ち位置に。

鳥居や神殿の中央部分は、正中と呼ばれる神様の通り道。人間は左右どちらかに遠慮して

2 一礼して鳥居をくぐる謙虚な心が大切。

鳥居をくぐるときには、まず一礼する。単なる様式ではなく、自然にそうできるような心がけで

3 足さばきにも決まりごとがあるもの。

左側を通るときは左足、右側を通るときは右足から進む。神様にお尻を向けないようにするための所作

4 一歩鳥居をくぐればそこは神様の領域。

鳥居をくぐった瞬間から、そこは神聖な領域。心を落ち着け、厳粛な気持ちを持って境内に

手水の使い方。

手水の使い方をマスターし
清らかな自分になって参拝を。

神社の境内に入ったら、最初に必ず手水を使ってください。様々な穢れに満ちた外界から、神聖な神域に入るわけですから、ご神殿に進む前に、まず手や口を清める必要があるのです。

手水舎の水盤には、よく「洗心」という言葉が彫られています。そこで心(たましい)を洗い清めてから、神様の前に進むように、という意味です。つまり手水は形だけ手を洗うためのものではなく、形から入って心そのものを洗い清める場なのです。実際、手水を使っているうちに、気持ちが落ち着き、参拝の心構えが整うものです。

手水の細かい手順は、茶道における作法とまったく同じです。おそらく神社から茶道に受け継がれたのでしょうが、共通しているのは無駄な水の使い方をせず、合理的で美しい所作である、というところでしょうか。今のように上水道が整備されるまで、清水は貴重なものだったので、一杯の柄杓(ひしゃく)の水にも感謝して、大切に使い切ったのでしょう。

柄杓の使い方などはむずかしいので、心身を清めようという心さえあれば、多少、手順が間違っていてもかまいません。ただ、柄杓に直接口をつけないということだけは、必ず守ってください。特に女性の場合、柄杓に口紅がついてしまうと、神様に対してはもちろんのこと、次に使う人に対しても失礼になります。

1 形から入って心を表すのが
手水の真髄。

ただ手を洗うだけではなく、俗世の穢れを洗い流す心構えで、柄杓を手にすること

2 計算され尽くした
無駄のない動き。

右手で柄杓を取って水をすくい、左手をすすぐ。この一杯の水だけであとのすべての動作を終える

3 左から右へ、ひと杓の水を
大切にする。

柄杓を右手から左手に持ち替えて、空いた右手をすすぐ。まだ十分な量の水を残しておくこと

4 自分の手を椀に見立てて
口をすすぐ。

もう一度左手から右手に持ち替える。左手に水を入れて口に含み、口元を隠したまま静かに吐き出す

5 日本の様式美を
端的に表している。

両手で柄杓の柄の部分を持ち、垂直に立てて、残った水を下に流す。柄杓の柄を清めるための動作

6 一連の動作を通して
心を洗い清めること。

両手と口元、柄杓の柄をそれぞれ清め終わったら、柄杓を静かにお返しする

そして、お参りです。

手順として覚えるのではなく動作の意味を理解しましょう。

神社にお参りする人たちを見ていると、正しい手順を守って参拝しているケースは、きわめて少ないように思います。普通の学校では教えてくれないし、教え伝えるべき親世代でもわからない……。昔は学校でも、近所のお祭りでも、家庭ででも、当たり前のようにきちんと参拝の方法を教えられたものですが、今の社会では、文化としての美しい伝統まで消えつつあるのかもしれません。

神殿に参拝するときは、「二拝二拍手一礼」が基本です。伊勢神宮や出雲大社など、特に格式の高い神社のなかには、独特の拝礼方法を取るところもありますが、一般の人は「二拝二拍手一礼」を心得ておけば十分でしょう。

お参りそのものは、どのような言葉を使わなくてはならないという規定があるわけではないので、自由に神様に語りかけてください。「神様、ご機嫌はいかがですか？」でも「私の話を聞いていただけますか？」でもかまいません。目を閉じて、ゆっくりと神様とお話しましょう。神職が、複雑な儀式や祝詞を使って神様に接するのは、プロだからこそのやり方ですから、一般の方は真似をする必要はありません。

ただ、あまり実利的な願い事ばかりをしないこと。人間的な成長をさせていただけるようにお願いすれば、きっと神霊のお耳に届くと思います。

4 2度の音霊を響かせて場を清める。

柏手を打つのは、家のチャイムを鳴らすようなもの。音霊を響かせることによって、場を清める効果も

1 邪を祓う神具は神職だけのものではない。

社殿の前に祓い串が置かれていたら、遠慮なく使わせていただいて。左、右、左の順で祓います

5 心の中でゆっくりと神様と対話する。

まず参拝のお礼を述べてから、心を込めて神様に語りかける。我欲にとらわれた願い事は慎むべき

2 神様に捧げるつもりでそっとお入れする。

お賽銭を入れるときは、手のひらを上にして、静かに滑り落とす。乱暴に投げ入れるのは厳禁

6 最後に深々と礼をして参拝を終える。

参拝させていただいたことに対する感謝を込めて、丁寧に一礼する。おみくじを引くなら、この後で

3 参拝のはじめに深く2度礼をする。

1度目は自分の守護霊に、神様への取り次ぎを願う礼。2度目の礼は、神様に対するご挨拶

たましいに響くお参りの方法、特別に教えます

よりパワーを頂くために。

神社のパワーを最大限に吸収できるテクニックとは。

せっかく神社という聖地を訪れたのですから、参拝しただけで満足せず、神様の大いなるエナジーを吸収できるよう、いろいろな方法を試してみましょう。

ぼくが勧めたいのは、〝木〟と〝気〟に触れることです。例えば、たいていの神社には樹齢何百年、何千年という木が植えられています。長い間、神聖な土地に育ってきたのですから、神社の木々には神聖なパワーが満ちているはず。なかにはご神木として、神様と一体化して崇敬を集めているものもありますし、ご神木とまではいかなくても、神社の木々を通して、自然霊のエナジーを浴びることはできます。少し人目は気になるかもしれませんが、自分の手で気に入った木々に直接触れてみましょう。

また、ご神域の中で何度も深呼吸を繰り返して、胸いっぱいに清らかな空気を吸い込んだり、じっと境内にたたずんで、ご神気に浸ったりするのも素晴らしい体験になります。心身がリラックスすれば、それだけでも邪気が祓われ、よりよいパワーを得られるのではないでしょうか。

もちろん、こうした方法だけが正しいとは限りません。他の参拝者の迷惑になったり、神社のタブーに触れたりしなければ、どのような形でパワーを吸収してもいいでしょう。要は、神様と向き合い、そのお心に近づこうとする時間を持つことに意味があるのです。

1 木を通して伝えられる
自然霊の声を聞いて。

神社の境内を歩いていて、どこか心惹かれるものを感じた木があったら、手で触れてエナジーを取り込む

2 神域に漂う空気は
貴重な神のエナジー。

何度も深呼吸を繰り返すと、体の中から汚れた生体エネルギーが放出され、リフレッシュできる

3 好きな場所に座っているだけで
癒される。

せっかく神社に行ったのだから、少なくとも1時間は境内にいて、ご神気を浴びていたいところ

4 内観の形を取り
自分自身と語り合う。

印を結んで内観する。方法はわからなくても、自分の内面と向き合う気持ちがあれば、それでいい

伊勢

ミニ知識

二十年に一度行われる遷宮はもっとも重要な大祭のひとつ。

伊勢神宮では、二十年に一度、大祭「神宮式年遷宮(じんぐうしきねんせんぐう)」が行われます。これは、正殿をはじめ、垣内の建物をすべて新造すると同時に、殿内の装束や神宝も新調して、ご神体を新宮にお遷しするというものです。

神宮式年遷宮が初めて行われたのは、天武天皇の時代。ご祭神の神恩がますます豊かになることを祈り、その神恩による国の若返りと永遠の発展を願って、以後、約千三百年にわたって続けられています。

日本の神道の祭事のなかでも、神宮式年遷宮は最も重要な大祭のひとつ。それだけに、遷宮の年は、いっそう多くの参拝者で賑わうことになります。

正宮にはない静けさが別宮・摂社・末社の魅力。

伊勢神宮は、皇大神宮（内宮）と豊受大神宮（外宮）の正宮のほか、別宮・摂社・末社など、百二十五社から成り立っています。その地域は広範囲で、三重県下の伊勢市・松阪市・鳥羽市・志摩市・度会郡・多気郡にわたっているので、参拝をする場合は、事前にルートを組み立てていく必要があります。

別宮のなかでは、アマテラスオオミカミの荒御魂を祀った荒祭宮と、トヨウケノオオミカミの荒御魂を祀った多賀宮の二宮に、特に重きが置かれています。スピリチュアルなパワーを持った月讀宮と合わせ、この三つの別宮はぜひとも参拝したいところ。いずれにしろ、荘厳な正宮のたたずまいと違った静けさが、別宮や摂社、末社の魅力になっています。

外宮から内宮へ。必ず両正宮を参拝する。

伊勢神宮の参拝は、外宮である豊受大神宮から始めるのが正式な順序とされています。これには諸説あって、昔は歩いての参拝だったので、道順から外宮を先に参拝して内宮に向かったというのがひとつ。また、アマテラスオオミカミが「まずトヨウケノオオミカミを祀れ」というご神託を下されたことから、「外宮先祭」になったという説も。

現在、外宮への先参りは、それほど厳密にいわれていませんが、可能なら順序通りに参拝したいところ。さらに、どちらが先かにかかわらず、必ず両宮を参拝することが大切。参拝の道順については、「物事の始まりである右側」から行くのが作法だともいわれていますが、こだわらなくてもいいでしょう。

熊野

ミニ知識

各地から熊野詣に訪れた道。熊野古道が世界遺産に登録。

二〇〇四年、熊野古道を含む「紀伊山地の霊場と参詣道」が、世界遺産のリストに登録され、一躍脚光を浴びました。世界遺産とは、一九七二年のユネスコ総会で採択された「世界遺産条約」に基づいて、「世界遺産リスト」に登録された自然や文化のこと。日本では、屋久島や厳島神社、法隆寺地域の仏教建造物などが、登録されています。

そこに加わった熊野古道は、伊勢や大阪・京都と熊野を結ぶ街道。古くは「くまのみち」「熊野街道」とも呼ばれていたもので、このうち保存状態の良好な地域が、熊野参詣道として国の史跡に指定されていました。交通の難所であることも手伝って、熊野古道には、現在も当時に近い自然が残されています。

熊野古道に趣を添える王子をめぐる散策もお勧め。

熊野古道には、いくつかルートがあります。中心となるのは、京都・大阪と熊野を結ぶ紀伊路（きいじ）と、伊勢と熊野を結ぶ伊勢路（いせじ）の二つ。紀伊路は、熊野の玄関口で海岸をたどる大辺路（おおへち）と、山中を東に分け入る中辺路（なかへち）に分かれており、ちなみにこのうちの、紀伊路の中辺路は、熊野詣の公式ルートです。

中辺路の道筋には、王子と呼ばれる神祠が建っています。王子とは、熊野権現の分身として現れた神子……といった意味。最初の王子は、紀伊路の出発点、大阪市天満橋付近にあります。熊野三山まで片道三百キロメートルの街道におよそ百の王子があり、まとめて「熊野九十九王子」と呼ばれています。

武家勢力と戦った後白河上皇は生涯に三十四回も熊野詣を。

熊野信仰が広く知られるようになったのは、院政時代、上皇たちが、盛んに熊野詣を行ったからです。なかでも、後白河上皇は、実に三十四回も熊野を詣でています。

後白河上皇は、五代の天皇にわたって院政をとり、台頭する武家勢力に対抗し続け、歴代天皇のなかでも希代の政治家といわれた人。その権謀術数によって平家や木曽義仲、源義経、奥州藤原氏を滅ぼし、源頼朝にも「日本一の大天狗」と恐れられたといいます。

それほどの策士が、遠い熊野への参拝を重ねたのは、熊野という土地と浄土信仰が、大きな吸引力を持っていたからでしょう。ほかにも、政治の波に翻弄された上皇たちが、繰り返し熊野詣を続けた記録が残っています。

奈良

ミニ知識

日本最古の神の道。山辺の道を歩いて。

日本最古の道とも、神話の道ともいわれるのが、奈良県中部の山辺の道です。街道沿いには、神話や万葉集に出てくる地名や旧跡、歌碑、古社寺が数多くあって、奈良散策のルートの中でも、もっとも人気のコースです。

山辺の道は、奈良県桜井市金屋から天理市を経由して、三輪山をはじめとする山すそを縫うように南北にのびる古道。現在は、そのうち桜井から天理までの約十四キロメートルを指す場合が多いようです。当時の古道をそのままたどるのはむずかしいのですが、できるだけ忠実に復元されています。

石上神宮や大神神社は、山辺の道に沿っているので、山辺の道散策と参拝を組み合わせるのも楽しそうです。

霊山である三輪山に登れる唯一のルートが狭井神社に。

大神神社のご神体である三輪山に登るには、狭井神社からのルートしかありません。大神神社から山辺の道を十分ほど歩くと、摂社である狭井神社に着くので、その受付で入山料(三百円)を払い、入山をお願いします。許可証の代わりに白いたすきを渡されるので、必ずそれを肩からかけて、登山道を登ります。登山道は比較的よく整備されていて、初心者でも歩きやすいでしょう。

三輪山では、立ち入りが禁止されている禁足地があるので、必ずルールを守ってください。また、写真撮影が許可されるのは登拝口だけ。日が暮れてからの登山もタブーなので、遅くとも午後四時までには下山できるよう、注意しましょう。

愛らしい姿で人気の鹿は不思議な力を持つ神の遣いか?

奈良の代名詞ともなっているのが、奈良公園の鹿たち。愛らしい姿で人気ですが、あの鹿たちはあくまでも野生生物で、奈良市が飼育しているペットではありません。

鹿が住み着いたのは、約千二百年前。常陸の国の鹿島から、神様が白い鹿に乗って入山したという伝説から、春日大社のお遣いとして、大切に守られてきました。また、奈良の鹿が季節外れに鳴き出した直後に、大地震が起きたり、普段は鳴かない鹿が連続して鳴いた後に、時の天皇が崩御されたりと、その不思議な力を伝える話も少なくありません。

野生の鹿が人に懐くのは、奈良以外には例がないことや、神の遣いとされてきた歴史から、鹿は天然記念物に指定されています。

江原啓之 えはら ひろゆき

1964年東京生まれ。和光大学を経て、國學院大学別科神道専修Ⅱ類修了後、英国でスピリチュアリズムを学ぶ。89年にスピリチュアリズム研究所を設立。雑誌、テレビ、出版、講演等で活躍中。また、スピリチュアル・アーティストとしてCD『スピリチュアル ヴォイス』(ソニー・ミュージック)をリリース。著書に『いのちが危ない! スピリチュアル・カウンセラーからの提言』(集英社)、『あなたのためのスピリチュアル・カウンセリング』(中央公論新社)、『スピリチュアル プチ お祓いブック』(小社刊)などがある

公式HP http://www.ehara-hiroyuki.com/
携帯サイト http://ehara.tv/

写真/福森クニヒロ(伊勢、奈良)
東 泰秀(熊野)
川口宗道(お参りの方法)
装幀/橘浩貴デザイン室

スピリチュアル・サンクチュアリ シリーズ
江原啓之《えはらひろゆき》 神紀行《かみきこう》 1
伊勢・熊野・奈良
二〇〇五年十月十一日 第一刷発行
著 者 江原啓之
発行者 石﨑 孟
発行所 株式会社 マガジンハウス
〒一〇四-八〇〇三
東京都中央区銀座三-十三-十
電話 書籍営業部
〇三-三五四五-七一七五
ハナコ・ウエスト編集部
〇六-六三七一-八七五〇
製作・印刷 株式会社ビーワークス
製本所 株式会社ビーワークス
©2005 Hiroyuki Ehara, Printed in Japan
ISBN4-8387-1620-6 C2026
乱丁・落丁本は小社書籍営業部宛にお送りください。
送料小社負担にてお取り替えいたします。
定価はカバーと帯に表示してあります。